W9-BKQ-262

LES COMBUSTIBLES

Amélie Nothomb reste très profondément marquée par l'Extrême-Orient où elle est née et a passé son enfance – la Chine et le Japon, en particulier, où son père est actuellement ambassadeur.
« Graphomane », comme elle se définit elle-même, elle écrit depuis toujours.
Hygiène de l'assassin fut la révélation de la rentrée 1992. En 1993, elle publie *Le Sabotage amoureux*, en 1994 *Les Combustibles*, en 1995 *Les Catilinaires*.
Elle vit à Bruxelles.

Paru dans Le Livre de Poche :

LE SABOTAGE AMOUREUX

AMÉLIE NOTHOMB

Les Combustibles

ALBIN MICHEL

© Éditions Albin Michel S. A., 1994.

À mon père.

Au fond de la pièce, une immense bibliothèque surchargée de livres couvre tout le mur. Le reste de la salle frappe par son dénuement : ni tables, ni bureau, ni fauteuil, seulement quelques chaises en bois et, à droite, un énorme poêle en fonte.

Un homme d'une cinquantaine d'années est assis sur une chaise et écrit sur une liasse de papiers qu'il tient sur ses genoux. Il porte un pull à col roulé.

Entre un homme d'une trentaine d'années, vêtu d'un gros manteau qu'il n'enlève pas.

DANIEL. Vous travaillez déjà ?

LE PROFESSEUR *(sans même le regarder)*. Depuis une heure.

Daniel prend une chaise et la porte près du poêle. Il s'y assied.

DANIEL. Vous étiez moins matinal, avant la guerre.

LE PROFESSEUR. Le froid m'empêchait de dormir. Je devenais fou dans mon lit ; j'ai fini par me lever. C'est bizarre, mais on gèle beaucoup moins quand on est assis.

DANIEL. C'est parce que vous travaillez : ça vous fait penser à autre chose qu'à la température.

LE PROFESSEUR. Je crois que la position aussi joue un grand rôle : quand on est couché, on présente moins de résistance au froid. C'est une impression, en tout cas.

DANIEL. Et à quoi travaillez-vous ?

LE PROFESSEUR. Vous allez rire, Daniel : je rédige — quoi donc ? un cours ? un exposé ? des pensées ? — sur le dernier chapitre du *Bal de l'observatoire.*

DANIEL. De Blatek ?

LE PROFESSEUR. Vous connaissez un *Bal de l'observatoire* écrit par quelqu'un d'autre ?

DANIEL. Comprenez-moi, Professeur : je vous connais depuis des années et je ne vous ai jamais entendu dire que du mal de Blatek.

LE PROFESSEUR. Vous me connaissez depuis des années, mais depuis combien de temps habitez-vous avec moi ?

DANIEL. Depuis que les Barbares ont démoli mon quartier. C'était il y a deux mois, déjà.

LE PROFESSEUR. Et en deux mois, Daniel, vous avez pu me regarder vivre. M'avez-vous vu lire Faterniss ?

DANIEL. Non.

LE PROFESSEUR. M'avez-vous vu lire Obernach ? Esperandio ? Kleinbettingen ?

DANIEL. Non.

LE PROFESSEUR. Quelle conclusion en tirez-vous, mon cher Daniel ?

DANIEL. C'est normal : depuis le temps que vous parlez d'eux, au cours, vous connaissez leur œuvre par cœur. Vous avez écrit une thèse sur Faterniss : vous n'allez quand même pas le relire.

LE PROFESSEUR. Vous avez tort d'être indulgent, ça ne vous rapportera aucun avancement. Avant la guerre, j'aurais pu faire de vous un chargé de cours. Aussi longtemps que la paix ne sera pas revenue — et vous savez qu'elle ne reviendra pas de sitôt —, vous serez mon assistant. L'effort de guerre de l'Université consiste à bloquer les promotions.

DANIEL. Je sais tout cela, Professeur. Mais je ne flagorne pas : je trouverais idiot de vous voir lire les auteurs dont vous nous chantiez les louanges au cours.

LE PROFESSEUR. Et de me voir lire ceux que je tournais en dérision devant mes étudiants, vous trouvez ça intelligent ?

DANIEL. Je me dis que vous devez avoir vos raisons.

LE PROFESSEUR. Mais non, Daniel ! Que cette guerre vous ait au moins appris l'intolérance ! Sinon, elle n'aura servi à rien.

DANIEL. Elle ne servira à rien, Professeur : à supposer qu'elle nous apprenne quelque chose, elle nous tuera de toute façon.

LE PROFESSEUR. Vous n'avez vraiment pas d'humour, vous.

DANIEL. Parce que vous trouvez qu'il y a de quoi rire ?

LE PROFESSEUR. Mais oui, il y a de quoi rire. Vous avez le privilège de découvrir ce que n'avouerait jamais aucun professeur de littérature : ce qu'il lit — ce qu'il lit vraiment — pendant son temps libre.

DANIEL. Temps libre... La guerre est-elle un temps libre ?

LE PROFESSEUR. Pour moi, elle est un temps libre obligatoire. Avant, je donnais quatorze heures de cours par semaine. Maintenant, je donne cours quand on ne bombarde pas l'Université. Nous sommes vendredi : cette semaine, j'ai évangélisé mes étudiants pendant quarante minutes. J'ai donc beaucoup plus de temps pour mes mauvaises lectures.

DANIEL. Moi, je suis à l'Université presque aussi souvent qu'avant.

LE PROFESSEUR. Vous êtes jeune et héroïque. Laissez-moi le privilège de l'âge et de la lâcheté.

DANIEL. Ce n'est pas tant par héroïsme. Je vous assure qu'il fait beaucoup moins froid à l'Université. *(Il met ses mains sur le poêle.)* Professeur, le poêle est de nouveau éteint.

LE PROFESSEUR. Je n'ai plus de combustible. Regardez, toutes les tables y sont passées, et même le secrétaire en marqueterie. Brûler les chaises serait une erreur : nous aurions encore plus froid si nous étions assis par terre. Savez-vous pourquoi il fait plus chaud à l'Université ? Parce qu'elle est bombardée sans cesse. À chaque bombardement, vous avez des planchers détruits à brûler. Si les Barbares torpillaient davantage mon quartier, je pourrais vous offrir un gîte plus tempéré.

DANIEL. Ça, c'est ce que j'appelle de l'humour à froid.

LE PROFESSEUR. Mais bravo, Daniel ! Vous voyez bien que la guerre peut rendre spirituel.

DANIEL. Si seulement j'avais l'impression d'être en guerre ! La guerre, c'est se battre, et nous ne nous battons pas. Nous sommes assiégés.

LE PROFESSEUR. Je ne suis pas d'accord. Vous vous battez. Pour nous autres, professeurs, continuer à donner cours, c'est nous battre. Et pour nos étudiants, continuer, en dépit des bombes, à s'intéresser à la place de l'adverbe dans les subordonnées chez les poètes romantiques, c'est se battre.

DANIEL. Je me demande si ça les intéresse. Je les soupçonne de venir au cours parce que l'Université est encore chauffée.

LE PROFESSEUR. Chauffée mais bombardée : ils y risquent leur vie. Ne diminuez pas leur mérite.

DANIEL. Très sincèrement, Professeur, je ne suis pas sûr qu'ils tiennent à la vie. Et je le dis parce que je l'ai expérimenté sur moi-même : le matin, quand je me lève à quatre heures pour aller à l'Université, je ne pense ni à ma thèse, ni au trajet à découvert dans les rues, ni aux bombes, ni au fait que c'est peut-être mon dernier matin. Je pense : « Vivement la tuyauterie bien chaude de la bibliothèque facultaire ! »

LE PROFESSEUR. La tuyauterie ?

DANIEL *(air extatique)*. Vous n'avez pas remarqué ? Les tuyaux qui longent les murs sont brûlants. *(Il se lève et met les bras en croix.)* Alors, je colle mon dos et mes bras sur les réseaux de tuyauterie jusqu'à ce qu'ils donnent à mon manteau une odeur de roussi.

LE PROFESSEUR. Quel rêve ! Merci pour le tuyau.

DANIEL. Eh bien, quand je me lève le matin, c'est à ça que je pense : aux tuyaux brûlants. Je ne pense ni à la vie, ni à la mort, ni à la guerre, ni aux Barbares, ni à ma thèse — vous vous en doutiez —, ni même à la faim.

LE PROFESSEUR. Ni à Marina ?

DANIEL. Ni à Marina, Professeur. Je pense aux tuyaux, à leur chaleur qui transpercera mon manteau.

LE PROFESSEUR. Je commence à comprendre pourquoi vous passez le plus clair de votre temps à la bibliothèque facultaire.

DANIEL. Vous imaginiez vraiment que c'était par passion pour ma thèse ?

LE PROFESSEUR. Avec vous, on ne sait jamais. Vous avez un air si idéaliste.

DANIEL. Mais je suis idéaliste ! C'est pour ça que cet état de siège m'est insupportable. Il fait de nous des animaux.

LE PROFESSEUR. Si cette guerre a pu vous apprendre que nous étions des animaux, c'est déjà bien.

DANIEL *(qui se rassied)*. Votre bonne humeur m'énerve. *(Il hausse le ton.)* Et puis, pourquoi ne mettez-vous pas votre manteau ? Vous avez trop chaud ?

LE PROFESSEUR. Je suis chez moi. Je ne porte pas de manteau quand je suis chez moi.

DANIEL. Alors ça, c'est l'argument le plus inepte que j'aie jamais entendu. *(Il se lève et regarde autour de lui.)* Où est-il, ce manteau ?

LE PROFESSEUR. On ne vous a rien demandé, Daniel.

DANIEL. C'est ridicule. Vous êtes bleu de froid ! *(Il fait le tour de la pièce.)* Où est-il, ce manteau ? *(Il le trouve près de la porte d'entrée et s'en empare.)* Ah ! Le voici. Vous allez me faire le plaisir de...

LE PROFESSEUR *(se lève d'un bond et file à l'autre bout de la pièce ; il hurle)*. Je ne le mettrai pas !

DANIEL. Quel est ce comportement grotesque ?

LE PROFESSEUR. Votre manière de continuer le combat, c'est de donner cours comme avant. Ma manière, c'est de ne pas porter de manteau quand je suis chez moi ! Le jour où je le mettrai, je me sentirai vaincu !

DANIEL. Comment un homme aussi intelligent que vous peut-il dire une telle imbécillité ? *(Il va vers lui avec le manteau. Le professeur fuit de l'autre côté. Ils se poursuivent autour de la pièce comme des enfants. Daniel tient le manteau comme la muleta de la tauromachie.)*

LE PROFESSEUR *(qui crie en courant)*. Je ne suis pas intelligent ! Je n'ai aucun plaisir à lire les auteurs que j'admire ! J'aime lire Blatek parce que c'est bête ! Ça fait vingt-cinq ans que je mens à mes étudiants !

DANIEL *(qui crie en le poursuivant)*. Et en quoi ceci vous empêche-t-il de mettre votre manteau ?

LE PROFESSEUR *(qui crie en courant)*. Et si j'ai envie d'être stupide, hein ?

Une jeune fille entre, frêle, sérieuse. Daniel et le professeur arrêtent leur manège. Ils semblent gênés, ils sont figés, comme elle.

DANIEL. Marina.

MARINA. Qu'est-ce qui se passe, ici ?

LE PROFESSEUR. Il se passe que votre cher et tendre ne me laisse pas le droit d'être idiot.

MARINA. Si vous ne voulez pas de votre manteau, moi, je le veux bien. *(Le professeur prend le manteau des mains de Daniel et le met sur les épaules de Marina. Il est beaucoup trop grand pour elle. Marina s'assied près du poêle, y pose les mains.)* Professeur, le poêle s'est éteint.

LE PROFESSEUR. Je sais, Marina. Je n'ai plus rien à brûler.

MARINA *(en regardant la bibliothèque)*. Et ça ?

LE PROFESSEUR. Les étagères ? Elles sont en métal.

MARINA. Non, les livres.

Silence gêné.

DANIEL. Ce n'est pas du combustible, Marina.

MARINA *(avec un sourire ingénu)*. Mais si, Daniel. Ça brûle très bien.

LE PROFESSEUR. Si nous nous mettions à brûler les livres, alors, vraiment, nous aurions perdu la guerre.

MARINA. Nous avons perdu la guerre.

LE PROFESSEUR. Allons, mon enfant, vous êtes très fatiguée.

MARINA *(avec un sourire joyeux qui la rend ravissante).* Ne faites pas semblant de ne pas le savoir. C'est notre deuxième hiver de guerre. L'hiver dernier, si l'on nous avait dit qu'il y en aurait un autre, vous auriez conclu : « Alors, c'est que nous aurons perdu la guerre. » Pour moi, elle était déjà perdue l'hiver passé. Je l'ai compris au premier jour de froid.

LE PROFESSEUR. C'est parce que vous êtes trop frileuse. Normal : combien pesez-vous ? Quatre-vingts livres ?

MARINA. Je pèse deux mille livres : les livres que vous brûlerez pour me réchauffer, Professeur.

DANIEL. Arrête, Marina.

MARINA *(très douce).* La nature est injuste. Les hommes ont toujours été moins frileux que les femmes. Grâce à la guerre, j'ai compris que c'était ça, la plus grande différence entre les sexes. Ainsi, en ce moment, vous croyez que j'ai perdu l'amour des livres. Moi, je crois que vous n'avez jamais été capables de les aimer vraiment : vous les avez toujours vus comme du matériel pour vos thèses, et donc pour votre avancement.

LE PROFESSEUR. J'adore l'air limpide avec lequel cette jeune fille nous injurie.

MARINA. Je ne vous injurie pas. Je plaide ma cause : j'essaie de vous faire comprendre que vous ne tenez pas tant que cela à ces livres.

LE PROFESSEUR. Pour que nous les brûlions le cœur léger afin de réchauffer mademoiselle. Vous commettez une grosse erreur de calcul : si vous parvenez à nous démontrer que nous sommes bel et bien des arrivistes sans âme, nous serons amenés non pas à brûler ces livres indispensables à nos basses ambitions, mais à vous brûler, vous. Car vous ne nous êtes d'aucune utilité, Marina.

DANIEL *(marchant vers le professeur)*. Professeur !

MARINA. Je ne vous ferais pas une flambée très imposante.

LE PROFESSEUR. Vous seriez ce que vous êtes pour Daniel : un feu de paille.

DANIEL *(empoignant le professeur)*. Arrêtez.

MARINA. Je sais. Chaque automne, Daniel séduit une étudiante de dernière année — de dernière année, pour avoir la garantie de ne pas la revoir l'automne d'après. J'ai observé le manège quatre années de suite, je sais comment ça fonctionne. À certains signes, j'avais pu supposer, les années précédentes, que je serais l'heureuse élue de ma promotion : c'était la seule incertitude. Alors, comme je suis bien consciente de n'en avoir que pour un an, j'en demande un maximum.

DANIEL *(qui a lâché le professeur et qui est debout près de la chaise de Marina)*. Tu es horrible.

MARINA *(qui se lève et se met face à Daniel. Elle lui sourit avec une douceur véritable, pas parodique du tout)*. Est-ce moi qui suis horrible ? Ou est-ce toi, Daniel ? Ou est-ce la guerre ?

DANIEL. Si vraiment tu penses ce que tu as dit, je ne comprends pas comment tu peux m'aimer !

MARINA. Moi non plus, je ne comprends pas. *(Elle se rapproche de lui, angélique. Il recule imperceptiblement.)*

DANIEL. Si vraiment tu penses ce que tu as dit, ton attitude est indigne.

MARINA *(approchant toujours)*. Mon attitude est indigne, Daniel. *(Elle est tout contre lui et se fige. Il hésite un instant, puis la prend dans ses bras avec un soupir d'impuissance.)*

LE PROFESSEUR. Ah, charmant, charmant ! Du Marivaux en pleine guerre !

DANIEL *(toujours étreignant Marina, la voix amère)*. Du Marivaux ? Vous voulez dire du Faterniss !

LE PROFESSEUR. Vous avez raison. Comment ce gros bourgeois de Faterniss a-t-il pu comprendre tant de vérités nues et dures sur la misère de l'amour humain ?

MARINA *(sortant des bras de Daniel et reculant avec une sorte d'exaspération).* Ah non ! Pas de considérations littéraires ! J'ai froid, je veux du feu.

LE PROFESSEUR. Voyez-vous, Daniel, c'est ainsi que parlait la femelle préhistorique quand elle rentrait au bercail.

MARINA *(qui se retourne en direction du professeur).* Vous avez beau jeu de me mépriser, Professeur. La guerre ne vous a pas fait assez maigrir. Si vous aviez aussi froid que moi, vous me comprendriez.

LE PROFESSEUR. Il faut vous nourrir davantage, mon petit.

MARINA. C'est une excellente idée. Que me proposez-vous ? A part un morceau de cadavre gelé, je ne vois pas ce que je pourrais manger.

LE PROFESSEUR *(qui va vers la bibliothèque).* Attendez... *(Il prend un livre.)* Voici un aliment qui vous nourrira davantage : *L'Honneur de l'horreur,* de Kleinbettingen. Vous allez me dévorer ça.

MARINA. Quel cynisme ! *(Elle lui tourne le dos.)*

LE PROFESSEUR *(qui s'approche d'elle, la retourne et le lui met de force entre les mains).* Je vous assure que ça vous fera du bien.

MARINA *(regardant le livre comme une enfant punie).* Je le brûlerai. Je ne le lirai pas.

LE PROFESSEUR *(tentant de le lui reprendre, mais elle le garde coincé sur son ventre).* Marina ! Si c'est pour le brûler, ne prenez pas celui-ci.

MARINA *(se retournant vers lui).* Ah non ? Vous avez peut-être des ouvrages plus combustibles ?

LE PROFESSEUR. J'ai surtout de moins bons livres.

MARINA *(riant).* Je vais enfin savoir quels étaient les bouquins que vous faisiez semblant d'aimer.

LE PROFESSEUR *(explorant la bibliothèque).* C'est précisément ce dont nous parlions avant votre intrusion... Voilà ! Ça, vous pouvez prendre. *(Il se hisse et attrape deux volumes.)* Le *Journal* de Sterpenich. *(Il les lui tend, elle ne bouge pas.)* Eh bien ?

MARINA. Ce n'est pas assez.

LE PROFESSEUR. Comment ? Je vous en donne deux à la place d'un seul, petite garce.

MARINA. Vous déraisonnez, Professeur. Un Kleinbettingen vaut plus que deux Sterpenich.

DANIEL. Marina !

LE PROFESSEUR. Écoutez-moi cette femelle calculatrice !

MARINA. À vous de fixer la valeur de Kleinbettingen, Professeur. La question est d'une réelle envergure littéraire. *(Sourire perplexe. Le professeur regarde les rayons.)*

LE PROFESSEUR. Puisque nous avons commencé par Sterpenich, vous m'embarquerez aussi ses *Combats éternels* et les trois tomes de sa correspondance avec Belinda Bartoffio. *(Il a à présent six gros volumes entre les bras.)* Vous feriez mieux de trouver ça suffisant, vous seriez incapable d'en tenir plus entre vos bras fluets.

MARINA. Je n'ai pas confiance. Posez-les par terre. *(Il le fait, les livres sont en une pile, Marina s'assied dessus.)* Voilà votre Kleinbettingen ! *(Il le reprend. Marina se lève et attrape les six volumes. Elle éclate d'un rire adorable.)* Sterpenich ! Quand je pense que vous m'avez forcée à le lire en première année !

LE PROFESSEUR. Ne me dites pas que vous l'avez vraiment lu.

MARINA. Mais si, Professeur. Je n'ai jamais été assez intelligente pour faire semblant d'avoir lu un livre. J'ai lu tout Sterpenich.

LE PROFESSEUR *(se tournant vers Daniel).* Vous vous rendez compte, Daniel ? Nous avons des étudiants qui lisent les livres que nous leur demandons de lire ! Si j'avais su, j'aurais eu quelques scrupules en dictant les listes de lectures obligatoires ! Ma pauvre petite, je suis désolé. *(Il s'est retourné vers elle.)*

MARINA. Ne soyez pas désolé. Vous n'imaginez pas avec quelle jubilation je le jetterai au feu. Quand je l'ai lu, il y a quatre ans, c'était la paix et c'était le printemps : j'ai gaspillé des jours de printemps et de paix à assimiler ces pages illisibles dont vous nous disiez tant de bien au cours. Jamais autodafé ne sera aussi légitime que celui-ci. Au revoir, Professeur. A ce soir, Daniel. *(Elle fuit.)*

DANIEL. Elle a emporté votre manteau. Je vous le rapporterai demain.

LE PROFESSEUR. Laissez-le-lui. Elle en a plus besoin que moi.

DANIEL. Elle vous a déjà pris tout Sterpenich, Professeur !

LE PROFESSEUR. Ce n'est pas une grande perte. Et puis, elle a raison : si vraiment elle l'a lu en entier, elle a bien droit à une petite vengeance. *(Il s'assied sur la chaise où était Marina. Il a toujours le livre de Kleinbettingen en main.)*

DANIEL. Quand même, j'ai honte pour elle.

LE PROFESSEUR. Vous avez tort. C'était vrai, ce qu'elle disait : les femmes souffrent plus du froid que les hommes. J'ai remarqué que quatre-vingts pour cent de mes maîtresses avaient les pieds glacés. Et elles n'étaient pas forcément maigres. Alors, quand je vois votre petite Marina, légère comme un souffle, je pense à ses pieds, aux pieds que vos pieds toucheront cette nuit, et je me dis que la température de ses orteils doit être effroyable.

DANIEL. Elle l'est. Mais elle a été d'une impudence !

LE PROFESSEUR. En effet. Ça lui allait bien. Elle a ce genre de beauté pathétique qui resplendit dans l'impertinence. Nous avons eu droit à un joli spectacle. Avouez que ça valait bien tout Sterpenich.

DANIEL. Je ne vous aurais pas cru aussi indulgent.

LE PROFESSEUR. Je ne suis pas indulgent. Je trouve seulement que vous avez bon goût. Elle est encore plus délicieuse que celle de l'an passé. Comment s'appelait-elle, déjà, celle-là ? Incapable de m'en souvenir.

DANIEL. Sonia. Elle a été tuée en juin dans un bombardement.

LE PROFESSEUR. Heureux bombardement qui vous a évité la rituelle et pénible rupture du mois d'août.

DANIEL. Professeur ! Vous êtes infâme. Je ne suis plus le même depuis la mort de Sonia.

LE PROFESSEUR. Qu'essayez-vous de me dire ? Que si Sonia n'était pas morte en juin, vous seriez encore avec elle aujourd'hui, en décembre ? à d'autres.

DANIEL. Non. C'est de Marina que je vous parle. Je ne pense pas que je romprai en août.

LE PROFESSEUR. Ah ? Vous avez l'intention de rompre plus tôt ?

DANIEL. Je crois que je ne la quitterai pas. Je l'aime.

LE PROFESSEUR. Vous les aimiez toutes.

DANIEL. Oui, mais depuis la mort de Sonia, je ne suis plus le même.

LE PROFESSEUR *(qui se lève brusquement en haussant les épaules en un geste de dérision)*. La guerre vous rend mélodramatique, mon petit Daniel ! Vous feriez bien de relire Faterniss, avant que votre dulcinée y ait mis le feu. *(Il s'approche du poêle et le contemple avec une curieuse tendresse.)* Je l'imagine, dans sa chambrette d'étudiante, agenouillée devant son poêle de fortune et y brûlant Sterpenich avec son sourire d'ange... *(Il sourit.)* Je regrette de ne pas voir ça.

DANIEL. Vous avez beau jouer les cyniques, vous êtes attendri comme un père quand vous parlez de Marina.

LE PROFESSEUR. Attendri comme un père ! Très drôle. Ce que vous ignorez, c'est que si elle n'était pas si jolie, je l'aurais jetée dehors avant même qu'elle ait eu le temps d'ouvrir la bouche ! Alors, cessez de vanter la bonté de mon noble cœur.

DANIEL. Pourquoi faut-il toujours que vous disiez des horreurs ? Vous trouvez que la guerre ne nous en procure pas assez ?

LE PROFESSEUR. Moi, cette guerre me donne une terrible envie d'être enfin lucide. Et je vous invite à m'imiter, car enfin vous n'êtes pas plus généreux que moi : si Marina n'avait pas été aussi jolie, vous ne l'auriez pas prise sous votre protection.

DANIEL. Et alors ? Je l'aime. Cela fait-il de moi un salaud ?

Le professeur met ses mains en poche et marche vers lui.

LE PROFESSEUR. C'est comme en littérature : tout dépend du choix des mots, de la tournure de votre phrase. Si vous dites : « Je protège Marina parce que je l'aime », les gens penseront que vous êtes un cœur pur. Mais si vous dites cette autre vérité, que vous ne direz jamais, à savoir : « Peu m'importe le sort de Berta, d'Anna, de Stefania, qui sont laides à rire » — je vous laisse le soin de conclure. Or, d'une certaine façon, ces deux phrases sont synonymes.

DANIEL. Arrêtez. *(Il s'assied avec un air nauséeux et se penche en avant.)* Pendant cette dernière demi-heure, il me semble avoir entendu plus d'atrocités que je n'en en ai ouï de ma vie entière.

LE PROFESSEUR. C'est ça, la guerre, mon petit Daniel. *(À peine a-t-il fini de dire cela que, comme pour lui donner raison, on entend de terribles déflagrations au loin. Daniel se lève d'un bond et colle son oreille à la bibliothèque.)*

DANIEL. Difficile à préciser. On dirait que ça vient du côté de l'Université, mais ce pourrait aussi bien être aux anciens entrepôts.

LE PROFESSEUR. C'est sûrement les entrepôts : les Barbares sont assez bêtes pour croire que nous avons encore de la nourriture.

DANIEL. J'espère que vous avez raison !

LE PROFESSEUR. Daniel, même si c'est l'Université, Marina n'y était pas encore : ce n'est pas une marathonienne ! Allons, calmez-vous, venez vous asseoir. *(Daniel va s'asseoir, tendu comme un automate. Le professeur s'assied sur la chaise où était Marina.)* Mine de rien, c'était une sacrée question que me posait votre chère et tendre. La formulation habituelle en est : « Quel livre emmèneriez-vous sur une île déserte ? » Interrogation que j'ai toujours trouvée un peu stupide, car absurde : si le métier de professeur d'université devait offrir, en prime, un voyage sur une île déserte, ça se saurait. Mais, posée à l'envers, la question devient essentielle : quels livres auriez-vous le moins de scrupules à détruire ? Sans la guerre, je n'aurais jamais envisagé cette hypothèse. Et s'il n'y avait pas eu Sterpenich, je me demande quel auteur j'aurais choisi en premier lieu.

DANIEL. Avec votre bibliothèque comme stock de base ?

LE PROFESSEUR. Oui : elle constitue un peu la bibliothèque de l'Honnête Homme, en plus révolutionnaire, peut-être. Que choisiriez-vous, vous ?

Daniel se lève et circule en regardant les rayons.

DANIEL. Difficile. Tenez, prenons *Le Mal mobile* : j'ai toujours pensé que c'était le plus mauvais livre de Fostoli. Mais il est indispensable à la compréhension du reste de son œuvre. *(Il prend le livre et l'ouvre.)* Et puis voilà, je commence la première page et déjà je ne le trouve plus si mauvais que ça. C'est peut-être à l'idée que je dois le détruire.

LE PROFESSEUR. Vous êtes un incorrigible sentimental. C'est comme lors de vos ruptures du mois d'août. Chaque année, à la fin de juillet, vous vous mettez à trouver mille charmes à celle qui vous lassait un mois auparavant. Mais c'est la perspective de la quitter qui vous illusionne, rien d'autre. Allons, pas de sensiblerie, je retiens votre première suggestion : *Le Mal mobile* de Fostoli. Ce n'est pas un mauvais choix.

DANIEL. J'ai l'impression de passer un examen.

LE PROFESSEUR. Un examen très spécial ! Un examen d'autodafé ! Je suis votre professeur d'autodafé, mon cher Daniel, j'occupe une chaire d'autodafé à l'université de...

Marina entre en courant, les livres serrés contre son ventre.

MARINA. Daniel ! Il n'y a plus de cité universitaire ! *(Elle est debout, figée près de la porte. Les deux hommes se sont levés.)*

DANIEL. Tu y étais déjà ?

MARINA. J'allais arriver. Je n'ai plus de logement.

LE PROFESSEUR. Eh bien ! Vous habiterez ici, avec Daniel et moi. Ça vous facilitera la vie.

MARINA. *(regardant Daniel avec appréhension).* Vraiment ?

LE PROFESSEUR. Mais oui. C'est ce qu'on appelle du regroupement familial — l'une des mesures sociales préférées du gouvernement d'avant-guerre.

MARINA. Tu veux bien, Daniel ?

LE PROFESSEUR. Qu'est-ce que c'est que cette nouveauté ? Est-ce qu'on pose ce genre de question à un homme ? Et puis, ce n'est pas à lui qu'il faut le demander, c'est à moi : je suis chez moi, ici, guerre ou pas guerre. D'ailleurs, ce n'est pas en tant qu'amoureuse de Daniel mais en tant que victime de guerre que je vous reçois dans mon appartement.

MARINA. *(avec une petite voix).* Si ça te dérange, Daniel, j'irai ailleurs.

LE PROFESSEUR *(les yeux au ciel).* Est-il possible d'être aussi maladroite !

DANIEL. Pas du tout, Marina : je suis ravi que tu viennes vivre avec moi.

LE PROFESSEUR. Grand dadais ! Si au moins vous preniez avantage de la situation !

MARINA. *(avec un regard effronté)*. Parce que vous, vous avez l'intention d'en prendre avantage ?

LE PROFESSEUR. C'est sidérant. Autant elle est bête quand elle parle à son amoureux, autant elle est futée quand elle me parle.

DANIEL *(qui rit et prend Marina dans ses bras)*. Tirez-en les conclusions qui s'imposent, Professeur.

LE PROFESSEUR. Oui. Vous dormirez dans le même lit que Daniel, mon enfant, et c'est un lit à une place.

MARINA. Tant mieux ! Il y fera d'autant plus chaud.

LE PROFESSEUR. Vous avez entendu, Daniel : ce n'est pas vous qu'elle aime, c'est votre température.

MARINA *(qui quitte les bras de Daniel et va vers le professeur)*. Professeur, nous n'allons pas nous faire la guerre, n'est-ce pas ? Il y a assez de guerre comme ça à l'extérieur.

LE PROFESSEUR *(la regardant avec un sourire moqueur)*. J'accepte la paix à une seule condition : c'est que vous me rendiez Sterpenich.

MARINA *(après une hésitation, lui tend les volumes)*. Bon.

Le professeur les prend et va vers le poêle.

LE PROFESSEUR. Car je ne laisserai à personne d'autre qu'à moi le privilège de foutre le feu à cet emmerdeur ! *(Il ouvre le poêle.)*

Même salon. Au fond, la moitié des rayons de la bibliothèque sont vides. Marina emmitouflée est assise seule sur une chaise. Elle feuillette un livre avec un air perplexe. Le professeur entre. Son manteau est couvert de neige, ainsi que sa toque de fourrure.

LE PROFESSEUR *(enlevant toque et manteau)*. Et dire que, quand j'étais petit, j'aimais la neige ! *(Il pend ses oripeaux près de la porte. Marina continue à lire. Il la regarde.)* Joie et douceur du foyer : la femme lit en attendant le retour de l'homme. On vous ajouterait vingt kilos et vous seriez une vision tout à fait rassurante, Marina. *(Elle ne réagit toujours pas.)* Et la femme se lève et accueille l'homme avec des cris de bonheur.

MARINA *(qui semble enfin s'apercevoir de sa présence)*. Vous disiez quelque chose, Professeur ?

LE PROFESSEUR. Oh, rien, je fantasmais. *(Il va s'asseoir sur une autre chaise. Le mauvais temps l'a exténué.)* Que lisez-vous, mon enfant ?

MARINA *(sans le regarder). La Cuirasse du prophète.*

LE PROFESSEUR. C'est bien, ça, de lire Sorloff ! Je suis impressionné par votre soif de culture.

MARINA. Vous vous moquez de moi ?

LE PROFESSEUR. Pas du tout. Qu'une jeune fille maigre et frigorifiée ait la détermination de s'initier à un auteur difficile, en dépit des bombardements, je trouve ça sincèrement admirable.

MARINA *(le regarde enfin, très douce).* Je ne suis pas en train de m'initier à un auteur difficile, Professeur. Savez-vous ce que je suis en train de faire ? Je lis chaque phrase avec lenteur et circonspection et à chaque phrase je me demande : « Y a-t-il, dans ce sujet, ce verbe, ce complément, cet adverbe, y a-t-il quoi que ce soit qui vaille une belle flambée au cœur d'un poêle ? Le sens profond (ou supposé tel) de cette phrase est-il plus nécessaire à ma vie qu'un degré de plus dans cette pièce ? » Tenez, je vous lis une ligne au hasard : « Il y avait longtemps que le silence ne lui avait semblé aussi suspect. » Je n'ai rien à reprocher à cette phrase, je vois même où se situe sa profondeur, mais je pose cette question : en quoi ce silence suspect a-t-il plus de valeur qu'une minute de chaleur ?

LE PROFESSEUR. Vous savez très bien qu'une phrase tirée de son contexte n'a pas d'intérêt.

MARINA. Je suis prête à la replacer dans son contexte : Emile a écouté les doléances de sa mère. Il l'a aidée à se remettre au lit, puis il est allé lire le journal à côté en attendant que la pauvre femme s'endorme. Je comprends son sentiment d'impuissance devant les souffrances de sa mère, je comprends en quoi le silence lui paraît suspect. Mais je persiste à ne pas comprendre en quoi ceci vaut plus qu'une minute de chaleur.

LE PROFESSEUR. Vous oubliez le style, Marina.

MARINA. Non. J'ai bien remarqué que cette succession de sifflantes avait un côté : « Pour qui sont ces serpents qui sifflent sur vos têtes ? » qui rend le silence encore plus suspect. Bravo, Sorloff. En quoi ces allitérations vont-elles me faire oublier que je crève de froid ?

LE PROFESSEUR. Elles ne vous le feront pas oublier. Mais cette histoire se passe en pleine débâcle, au cours de cet épisode de la dernière guerre où nous étions persuadés qu'il n'y avait plus d'espoir. Vous voyez donc où en est l'intérêt.

MARINA. Oui, c'est un beau message d'espoir pour moi. Mais je vous assure que ce beau message d'espoir ne me réchauffe pas.

LE PROFESSEUR. Enfin, Marina ! Le but de la littérature n'est pas de vous réchauffer.

MARINA. Ah bon ? *(Elle jette le livre par terre avec rage.)* Alors, je me fous de la littérature.

LE PROFESSEUR. Pauvre petite idiote primaire.

MARINA *(douce)*. Si la littérature est assez cynique pour ne pas remarquer que je souffre le martyre, je ne vois pas pourquoi je devrais la respecter, moi.

LE PROFESSEUR. Vous devenez un véritable animal, Marina.

MARINA. Non : je suis un animal.

LE PROFESSEUR. Même les animaux ont le sens de la durée. Ce livre est éternel. S'il devait brûler, la flambée durerait deux minutes.

MARINA. Comment peut-on se préoccuper d'éternité ?

LE PROFESSEUR. Ce n'est pas mal, l'éternité.

MARINA. Pourquoi ?

LE PROFESSEUR. Ça dure longtemps.

MARINA. Et dire que vous avez écrit quinze thèses pour trouver une chose pareille !

LE PROFESSEUR. Les quinze thèses ne m'ont pas servi à comprendre ce qu'était l'éternité. On a le sens de l'éternité ou on ne l'a pas : c'est inné. Il est clair que vous ne l'avez pas, ou que vous ne l'avez plus.

MARINA. A supposer que je l'aie eu un jour, Professeur, j'ai froid ! L'éternité ne fait pas le poids devant deux minutes de chaleur.

LE PROFESSEUR. Évidemment ! Vous restez immobile pendant des heures ! Quand on a froid, on bouge, on remue !

MARINA *(immobile)*. Quelle bonne idée ! Quelles gesticulations me proposez-vous ? Une grande promenade dans la rue, par exemple ? Il y fait encore plus froid qu'ici et l'on y reçoit une balle perdue une fois sur deux. C'est pittoresque.

LE PROFESSEUR. Il n'y a pas que les promenades. On peut bouger à l'intérieur, aussi. Vous pourriez danser ! C'est de votre âge, en plus.

MARINA. Danser, toute seule et sans musique !

LE PROFESSEUR. Pourquoi pas ? Ce serait le comble de la chorégraphie minimaliste. On vous admirerait en Occident.

MARINA. Après l'éternité, vous invoquez l'Occident ! Vous avez le talent de parler de grands machins qui n'existent pas.

LE PROFESSEUR. Admirable, Marina ! Il faut proposer cela aux dictionnaires : « Occident : grand machin qui n'existe pas. Voir Éternité » — éternité serait écrit en caractères gras. Oh, pardon.

MARINA. Pourquoi vous excusez-vous ?

LE PROFESSEUR. Parler de gras, devant vous, c'est de mauvais goût. Autant parler d'une chute d'eau au Sahel.

MARINA *(fière)*. Ne vous gênez pas. Si vous croyez que j'ai envie de graisse ! J'ai toujours eu horreur de ça. Moi, je veux du feu, des flammes, je veux que ça brûle !

LE PROFESSEUR. Mon petit, il faudra attendre ce soir. C'est vous-même qui avez édicté la règle : la flambée quotidienne, c'est une heure avant de se coucher.

MARINA. Je sais. Mais il est trois heures de l'après-midi ! Je ne peux plus attendre ! *(Elle replie ses genoux sur la chaise et les prend entre ses bras avec un air de désespoir. Le professeur la regarde avec commisération.)*

LE PROFESSEUR. Le désespoir ne vous réchauffera pas. Il faut bouger, Marina. Bouger !

MARINA. Pour quoi faire ? Bouger comme ça, dans le vide ? Bouger pour bouger ?

LE PROFESSEUR. Eh bien oui ! Le but est de vous réchauffer, alors, peu importe le mouvement.

MARINA *(inerte)*. Je ne sais pas. Je crois que bouger sans but n'est pas dans la nature humaine.

LE PROFESSEUR. C'est quoi, la nature humaine ?

MARINA. C'est ce que les hommes font.

LE PROFESSEUR. Excellent ! Vous me rappelez le doyen de la Faculté de mathématiques, à qui l'on avait demandé : « Maître, pouvez-vous définir les mathématiques ? » Et il avait répondu : « C'est ce que les mathématiciens font. »

MARINA. Ma foi, c'est une bonne réponse.

LE PROFESSEUR. Et qu'est-ce que les hommes font, Marina ?

MARINA. Les hommes font la guerre. La guerre est dans la nature humaine.

LE PROFESSEUR. Vérité implacable. Et les femmes, que font-elles ?

MARINA. La même chose que les hommes.

LE PROFESSEUR. Vous faites la guerre, vous ?

MARINA. Nous la faisons tous, Professeur.

LE PROFESSEUR. Et en quoi consiste votre guerre, Marina ?

MARINA. Ma guerre est la pire. Elle est pure souffrance, elle est assommante, elle ne laisse aucune chance à l'héroïsme : ma guerre consiste à avoir froid. Avez-vous lu Bernanos ?

LE PROFESSEUR. L'étudiante sonde les connaissances du professeur. Je n'enseigne pas la littérature française, mais j'ai lu Bernanos, oui. Pourquoi ?

MARINA. Il a écrit la plus grande vérité du monde, qui tient en une seule phrase : « L'enfer, c'est le froid. »

LE PROFESSEUR. Oui. Je ne pense pas qu'il le disait dans le même sens.

MARINA. Peu importe ! Cette phrase est vraie dans tous les sens ! Enfin une vérité qui n'est pas une vérité de luxe ! Je ne supporte plus les vérités de luxe. L'enfer, c'est le froid. Eh bien, je suis en enfer ! Et il n'y a rien d'autre à dire.

LE PROFESSEUR *(fermement)*. Mais il y a autre chose à faire. Remuez-vous, Marina ! *(Elle garde ses genoux entre ses bras et ne bouge pas.)* S'il vous faut absolument une raison pour bouger, je puis en trouver cent. Regardez comme cette pièce est sale ! Prenez-moi un balai et un chiffon, et nettoyez-moi ça.

MARINA. Et puis quoi encore ? Je ne suis pas votre femme de chambre !

LE PROFESSEUR. Non, certes ! C'était pour vous donner un prétexte, puisque vous en avez besoin.

MARINA. Un prétexte qui vous arrangerait bien.

LE PROFESSEUR. L'enjeu n'est pas là ! Vous réagissez comme les pauvres, vous placez votre honneur de manière à en être la victime.

MARINA. C'est normal. J'ai toujours été pauvre.

LE PROFESSEUR. Et les pauvres, quand ils souffrent du froid, ils restent assis sur des chaises sans bouger ?

MARINA. Mais oui. Il faut être riche pour avoir la force de réagir. Quand les pauvres ont froid, ils font comme les moineaux : ils gonflent leurs plumes comme pour se terrer en leur propre chaleur et ils ne bougent plus.

LE PROFESSEUR. Je vous trouve bien maigre pour quelqu'un qui gonfle ses plumes.

MARINA. C'est parce que je n'ai plus beaucoup de plumes.

LE PROFESSEUR *(se levant brusquement)*. Oui. Aussi la stratégie du moineau ne vous convient-elle pas. *(Il vient près d'elle et lui tend la main.)* Venez.

MARINA *(inerte)*. Où ça ?

LE PROFESSEUR. Vous disiez que vous ne vouliez pas danser seule. Alors, dansez avec moi.

MARINA. C'est grotesque.

LE PROFESSEUR. Je vous remercie.

MARINA. Il n'y a pas de musique !

LE PROFESSEUR. À la guerre comme à la guerre ! Allez !

Il lui prend le bras et la tire de sa chaise. C'est un combat : elle fait la lourde, il la soulève quand même et l'attrape. Il la tient comme pour danser un tango. Elle se débat comme un diable. Il la promène à travers la pièce en un tango de boxe. L'impression de lutte est d'autant plus violente qu'ils ne font aucun bruit. Marina finit par se dépêtrer et file de l'autre côté de la pièce où elle se fige et fait face au professeur, furieuse.

LE PROFESSEUR *(éclatant de rire)*. Voilà ! Je suis sûr que vous avez moins froid, maintenant.

MARINA *(outrée)*. Vous n'avez pas honte ?

LE PROFESSEUR. Au contraire ! Je vous ai réchauffée.

MARINA. Vous ne m'avez pas réchauffée, vous m'avez glacée. Le ridicule, ça donne froid !

LE PROFESSEUR. C'est vous qui êtes ridicule. Quel personnage êtes-vous en train de me jouer ? La vierge effarouchée ? En quoi ai-je sali votre incomparable petit corps ?

Marina ne dit rien et retourne s'asseoir avec pour le professeur un regard lourd. Elle refait sa « boule » : elle prend ses genoux entre ses bras, pieds sur la chaise.

LE PROFESSEUR. Vous vous imaginez que je vous désire ? *(Silence.)* Désolé de vous décevoir, je ne vous désire pas du tout. *(Silence. Il retourne s'asseoir.)* Vous êtes trop maigre pour susciter le désir.

MARINA *(très douce)*. Qui vous parle de désir, Professeur ?

LE PROFESSEUR *(subitement exaspéré)*. Vous savez très bien ! Dès qu'il y a un homme et une femme en tête à tête dans une pièce, les gens ne pensent qu'à ça !

MARINA *(toujours très douce)*. Les gens ? Les gens n'ont rien dit. Et pour cause : il n'y a personne à part vous et moi. C'est vous qui avez parlé de désir.

LE PROFESSEUR *(se levant avec un soupir)*. Oh, ça va, Marina. Ne tirez pas avantage de la situation. *(Il va vers la bibliothèque et lui tourne le dos.)*

MARINA. Je ne vois vraiment pas quel avantage je pourrais tirer de cette situation.

LE PROFESSEUR *(en regardant les livres)*. C'est ça, faites l'innocente, ça va bien avec votre genre de beauté. *(Elle hausse les épaules, se lève, ramasse le livre qu'elle avait jeté par terre et va vers le poêle devant lequel elle s'agenouille. Elle cherche les allumettes. Il est clair qu'elle agit sans se cacher. Le professeur tourne la tête vers elle et la voit.)* Puis-je savoir à quoi vous jouez ? *(Elle ne répond pas, trouve les allumettes et s'apprête à déchirer le livre. Le professeur se jette sur elle et le lui arrache.)* Vous êtes folle ?

MARINA *(fort)*. J'ai froid. *(Toujours à genoux.)*

LE PROFESSEUR. On le saura.

MARINA *(fort)*. Non, on ne le sait pas ! Si on le savait, si on savait combien c'est horrible, on serait déjà venu me réchauffer ! Si vous aviez une idée de ce que j'endure, vous brûleriez tous vos livres à l'instant ! C'est parce que vous ne savez pas, c'est parce que personne ne sait — personne, personne ne laisserait quelqu'un souffrir comme je souffre !

LE PROFESSEUR. Vous vous figurez que vous êtes la seule ?

MARINA. Je n'en sais rien, mais peu m'importe. Je suis en enfer ! *(Toujours à genoux, elle frappe le sol avec ses poings et crie.)* Je suis en enfer ! Je suis en enfer ! Je suis en enfer ! Je suis en enfer !

LE PROFESSEUR *(qui se jette sur elle, à genoux derrière elle pour lui attraper la tête et lui bâillonner la bouche avec ses deux mains)*. Vous avez fini, espèce de petite furie ? *(Elle se débat, plonge en avant, il plonge sur elle, mais sa bouche est libérée.)*

MARINA *(la voix étouffée)*. Pourquoi devrais-je m'arrêter ? De toute façon, personne ne m'entend.

LE PROFESSEUR *(toujours sur elle)*. Précisément parce que personne ne vous entend.

MARINA. Alors, ça ne dérange personne.

LE PROFESSEUR. Ça me dérange, moi.

MARINA. Pourquoi ? Qu'est-ce que ça peut vous faire ?

LE PROFESSEUR *(qui se redresse, se lève et la laisse libre. Elle reste assise par terre)*. J'ai horreur des femmes qui poussent des cris hystériques.

MARINA *(avec un rire écœuré)*. Le pauvre homme ! Devoir subir les cris d'une folle ! *(Elle en retombe à plat ventre par terre de rire.)* Quel sort pitoyable que le vôtre ! *(Elle rit, mais très vite son rire se transforme en sanglots convulsifs.)*

LE PROFESSEUR *(toujours debout, la regardant avec mépris)*. La voilà qui pleure, maintenant ! Vous croyez que ça sert à quelque chose ?

MARINA. Pleurer, ça sert à pleurer ! *(Elle sanglote, puis se calme un peu et s'agenouille. Des larmes ruissellent sur ses joues.)* Et puis, ça réchauffe. Avez-vous remarqué, Professeur, que les larmes sont toujours chaudes ? *(Elle parle très doucement maintenant, prend des larmes entre ses doigts comme pour les examiner, les regarde dans sa main.)* C'est bizarre : pourquoi les larmes sont-elles chaudes ? D'où vient cette chaleur ? Elle ne peut venir que de mon corps, pourtant tout est froid en moi. Et pour quelle raison la nature a-t-elle voulu que les larmes soient chaudes ?

LE PROFESSEUR *(qui s'est assis)*. On nage en pleine métaphysique ! Pourquoi Dieu a-t-il voulu que les larmes soient chaudes ?

MARINA *(douce)*. Je ne vous parle pas de Dieu. Mais c'est bien que les larmes soient chaudes. C'est bon ! Ça me rappelle les douches brûlantes que je prenais avant la guerre. Ces douches qui embuaient la salle de bains ! Je donnerais tout, tout et plus encore, pour une douche fumante.

LE PROFESSEUR. « Tout et plus encore » : je me demande bien ce que vous auriez à donner, mon petit. À part les vêtements que vous portez, vous ne possédez rien. Et qui voudrait de vos vêtements ?

MARINA *(avec un frisson).* Je ne me séparerais pas de mes vêtements pour un empire !

LE PROFESSEUR. Ça tombe bien. On ne vous en propose pas.

MARINA. Pourquoi êtes-vous si dur avec moi, Professeur ?

LE PROFESSEUR *(qui se lève, va vers elle, lui prend les mains et la fait se relever avec douceur, en gardant ses mains dans les siennes).* Je ne suis pas dur avec vous. J'essaie seulement de vous mettre un peu de plomb dans la cervelle.

MARINA *(avec un sourire).* Autour de la ville, je connais beaucoup de Barbares qui pourraient s'en charger.

LE PROFESSEUR. Ce n'est pas drôle, Marina. *(Il tient toujours ses mains. La scène est très douce.)*

MARINA. Pourquoi ne pas mourir, Professeur ?

LE PROFESSEUR. Ce n'est pas facile de mourir.

MARINA. Mais si. Vous savez comment ils font, ceux qui veulent mourir ? Ils mettent leurs plus beaux vêtements et ils vont se promener à découvert au milieu de la grand-place, jusqu'à ce qu'un Barbare les tue.

LE PROFESSEUR. Vous n'avez pas de beaux vêtements, Marina.

MARINA *(avec un sourire)*. Je crois que ce détail ne dérangerait pas les Barbares.

LE PROFESSEUR. Mais moi, ça me dérangerait.

MARINA *(riant)*. Ça vous dérangerait que je meure avec de vilains vêtements ?

LE PROFESSEUR. Ça me dérangerait que vous mouriez.

MARINA. Pourquoi ? Vous ne devriez plus brûler vos chers livres. Vous seriez enfin tranquille.

LE PROFESSEUR. Je vous aime bien, Marina.

MARINA. Si vous m'aimez bien, vous devez vouloir que je me sente mieux.

LE PROFESSEUR. Je vous vois venir. Je veux que vous vous sentiez mieux, mais si je brûle tous les livres trop vite, avec quoi ferons-nous du feu, demain ?

MARINA *(comme une évidence)*. Demain nous serons morts.

LE PROFESSEUR. Ce n'est pas sûr.

MARINA. Ne suffit-il pas que cette possibilité existe ?

LE PROFESSEUR. Non.

MARINA. Si. Imaginez qu'une bombe nous tue ce soir. Les livres seraient détruits en même temps que nous, pour rien. Quel gaspillage !

LE PROFESSEUR. Et imaginez qu'aucune bombe ne nous tue ce soir, et que, demain, nous n'ayons plus aucun livre, pour les avoir tous brûlés. Ce serait affreux, non ?

MARINA. Non. D'abord parce qu'il y aurait eu une flambée sublime, de la chaleur pendant au moins deux heures. Ensuite, parce que je n'aurais plus aucune rage à l'idée de mourir. Voyez-vous, ce qui me rend folle, depuis que je vis ici, c'est qu'on pourrait me tuer avant d'avoir brûlé le dernier livre.

LE PROFESSEUR. Raison de plus pour que je les économise. Je ne veux pas que vous vous suicidiez, Marina. À présent, j'ai bien compris : quand nous aurons brûlé le dernier livre, vous irez vous promener sur la grand-place.

MARINA. Et en quoi ma vie vous est-elle nécessaire ?

LE PROFESSEUR. C'est à vous qu'elle est nécessaire.

MARINA. Pour quoi faire ? Vous avez vu à quoi je passe mes journées ? Je vous assure qu'avec ce froid, je serais incapable de faire autre chose.

LE PROFESSEUR. Marina, on ne peut pas exclure l'hypothèse que la guerre se termine un jour et que vous soyez encore en vie à ce moment-là. Je reconnais que les chances sont minces mais, pour parler votre langage, ne suffit-il pas que cette possibilité existe ?

MARINA. J'y ai pensé.

LE PROFESSEUR. Eh bien ?

MARINA. Je m'arrangerais pour avoir toujours chaud, mais je ne ferais rien de ma vie. À cause de cette guerre, je n'aurai jamais envie de construire quoi que ce soit. Ce qui me fait rêver, c'est la chaleur, pas la vie. Comment pourrais-je tenir à la vie, depuis que je connais sa vraie nature ?

LE PROFESSEUR. Sa vraie nature ! Comme si vous la connaissiez !

MARINA. Mais, Professeur, je n'ai envie de rien, à part d'avoir chaud !

LE PROFESSEUR. Évidemment. Quand vous aurez chaud, vous aurez envie de mille choses. C'est ce qu'on appelle la hiérarchie des besoins.

MARINA. Et dites-moi donc ce que je ferai de ma vie.

LE PROFESSEUR. Vous finirez vos études.

MARINA *(riant)*. Exaltant !

LE PROFESSEUR. Vous vous marierez, vous aurez des enfants.

MARINA *(riant)*. De mieux en mieux !

LE PROFESSEUR. Toutes les femmes font ça.

MARINA *(riant)*. Quel argument éblouissant !

LE PROFESSEUR. Et alors ? Vous vous croyez différente des autres ?

MARINA. Je n'en ai aucune idée. Mais, à supposer que cette guerre se termine, je ne peux pas imaginer qu'une femme puisse encore vouloir mettre un enfant au monde.

LE PROFESSEUR. Ça n'a aucun sens de dire ça maintenant. Avant la guerre, quelle était votre ambition ?

MARINA. Tomber amoureuse.

LE PROFESSEUR. Soyez heureuse ! C'est arrivé.

MARINA *(avec un rire amer)*. Alléluia !

LE PROFESSEUR. Et vous vouliez avoir des enfants, n'est-ce pas ?

MARINA. Je suis incapable de m'en souvenir. Mais peu importe ce que je désirais avant la guerre. Une chose est sûre ; je ne serai plus jamais comme j'étais avant la guerre.

LE PROFESSEUR. Ce n'est pas sûr du tout.

MARINA *(choquée)*. Ça l'est ! Ce serait ignoble que quiconque puisse redevenir comme avant.

LE PROFESSEUR. C'est pourtant ce qui se passera. C'est ce qui se passe après toutes les guerres.

MARINA. Raison de plus pour que je ne vive pas. Ça me rendrait malade de voir ça !

LE PROFESSEUR. Mais non. Vous dites ça maintenant parce que vous avez vingt ans, parce que vous êtes maigre et en mauvaise santé. Quand vous serez une matrone replète, vous trouverez tout ça très bien.

MARINA *(qui arrache ses mains de celles du professeur et se retourne à cent quatre-vingts degrés)*. C'est abominable, ce que vous dites !

LE PROFESSEUR. C'est ce qu'on appelle la vie, mon enfant.

MARINA. Si c'est ça, je ne veux pas la connaître !

LE PROFESSEUR *(qui vient contre elle et l'enlace par-derrière)*. Mais si, vous voulez la connaître.

MARINA. Plutôt crever ! *(Le professeur pose ses lèvres dans son cou.)* Non. *(Voix lasse, pas exaspérée ; le professeur continue.)* Non ! Non ! *(Elle se dégage. Elle est plus désespérée que révoltée.)*

LE PROFESSEUR. Pourquoi non ?

MARINA. Parce que je ne vous aime pas. *(Comme une petite fille qui boude.)*

LE PROFESSEUR. Qui vous parle d'amour ?

MARINA. Moi. Je suis amoureuse de Daniel.

LE PROFESSEUR. Ce n'est pas vrai. Si vous étiez amoureuse de Daniel, vous voudriez vivre.

MARINA *(se retournant vers le professeur avec un air amusé)*. Parce que vous y connaissez quelque chose à l'amour, vous ?

LE PROFESSEUR. Et vous ?

MARINA. Moi, je suis sûre de savoir ce que c'est.

LE PROFESSEUR *(la singeant avec une voix simplette)*. « Moi, je suis sûre de savoir ce que c'est. » Vous êtes prétentieuse comme les gamines de votre âge. Vous seriez grotesque si vous n'étiez pas si touchante. *(Il s'approche d'elle, elle recule.)*

MARINA. Je pensais que j'étais trop maigre pour être désirable.

LE PROFESSEUR. En effet. Curieusement, je ne vous en désire que plus.

MARINA. Moi, je ne vous désire pas.

LE PROFESSEUR. Vous ne direz plus ça quand vous serez dans mes bras.

MARINA. Je n'y serai pas.

LE PROFESSEUR. La guerre ne vous a-t-elle pas encore appris le droit du plus fort ? Vous êtes chez moi, vous avez trop froid pour partir, vous savez bien qu'il n'y a pas d'échappatoire, *(Jusque-là, il avançait et elle reculait. À cet instant, elle s'arrête.)*

MARINA. Bon. Après tout, j'ai bien tort de refuser. Il n'y a rien de tel pour se réchauffer.

LE PROFESSEUR. Et cette cynique se prétend amoureuse ! *(Rire.)*

MARINA. Je suis amoureuse. Ce que vous allez me faire n'a rien à voir.

LE PROFESSEUR. C'est ça. *(Voix haut perchée.)* « Monsieur, vous aurez mon corps, vous n'aurez pas mon âme », n'est-ce pas ?

MARINA. Je me fiche de ce que vous aurez. Moi, j'aurai chaud, et c'est ce qui compte. *(Elle s'avance vers lui à petits pas.)* Il me tarde d'être entre vos bras pour sentir la chaleur de votre corps. Ce n'est pas vous qui abuserez de moi, c'est moi qui abuserai de vous.

LE PROFESSEUR *(avec un rire condescendant).* Vous allez abuser de moi ? Et comment comptez-vous vous y prendre ?

MARINA *(continuant à s'approcher à très petits pas. Le professeur commence imperceptiblement à reculer).* Je me laisserai faire. *(Voix neutre, implacable, mais sans aucune agressivité.)* Vous verrez, ça commencera à me plaire dès la première seconde, et ce sera pour de vrai. *(Sourire ineffable.)* Mais ce ne sera pas pour la raison que vous supposez. Voyez-vous, Professeur, à l'instant où vous me prendrez dans vos bras, je cesserai de souffrir, parce que votre ventre sera tiède.

LE PROFESSEUR *(sec).* Vous vous figurez que j'ai chaud ?

MARINA. Vous êtes plus chaud que moi, cela seul compte. Vous me ferez l'effet d'être brûlant, et je recueillerai votre température partout où il y a de la chair sur moi.

LE PROFESSEUR *(reculant avec une grimace perplexe).* Il y a de la chair sur vous ?

MARINA *(se mordant la lèvre)*. Ma peau suffira. On peut jouir avec sa peau. D'ailleurs, il y a des jours où je me dis que l'on peut jouir avec n'importe quoi.

LE PROFESSEUR. N'importe quoi, c'est moi ?

MARINA. Ce peut être vous, pourvu que je vous méprise — et sur ce point, n'ayez aucune crainte. *(Sourire angélique.)* Mon visage sera celui du plaisir, mon corps s'abandonnera, et vous croirez que vous êtes un bon amant ; mais pour moi vous ne serez rien d'autre qu'une bouillotte. à supposer que vous soyez un bon amant, l'emprise de la chaleur l'emportera tellement sur les autres... sensations *(rire frais)* que je ne les remarquerai même pas. *(Elle éclate d'un rire enfantin, comme si elle venait de trouver une merveilleuse plaisanterie.)* Pourquoi reculez-vous, Professeur ? Vous n'avez plus envie de moi ? *(Elle a pour lui un sourire tendre.)*

LE PROFESSEUR. Vous avez donc froid à ce point ?

MARINA. C'est maintenant que vous le remarquez ?

LE PROFESSEUR. C'est maintenant que j'en mesure toutes les conséquences. Vous êtes devenue monstrueuse.

MARINA *(ingénue, délicieuse)*. Je ne suis plus jolie ?

LE PROFESSEUR. Vous êtes belle. Vous êtes démoniaque.

MARINA. Depuis le temps que je suis en enfer, comment ne serais-je pas devenue démoniaque ? L'enfer, c'est le froid, et si vous saviez combien le froid s'est installé au fond de moi ! Un corps glacé, ça n'a qu'une seule idée, c'est de trouver quelque chose de chaud, n'importe quoi, et de s'y agripper, d'absorber sa chaleur, de la lui prendre. Ces quelques degrés qui ont creusé un tel gouffre entre vous et moi, qui font de vous un être humain et de moi un animal en enfer *(elle crie le mot « enfer »)*, je vous les arracherai ! Vous verrez ce que ce sera, alors !

LE PROFESSEUR *(qui arrête de reculer, calme et grave)*. Non.

MARINA. Quoi, non ? Vous n'avez plus envie ?

LE PROFESSEUR. Si. Mais les quelques degrés qui me séparent de vous me font dire non. Je ne vous veux pas comme ça.

MARINA *(avec un rire méprisant)*. Quelle est cette vertu soudaine ?

LE PROFESSEUR. Ça n'a rien à voir avec de la vertu...

MARINA. Laissez-moi deviner : vous vouliez que ce soit vous, le méchant, n'est-ce pas ? Vous vouliez que ce soit moi, la victime ? Le problème, c'est que je n'ai pas du tout envie d'être la victime, et que j'ai même très envie d'être la méchante. Et c'est ça qui vous déplaît, n'est-ce pas ? Eh bien moi, si ça vous déplaît, ça me plaît encore plus ! *(Elle est à présent le long de son corps, elle a un sourire démoniaque. Il reste de marbre.)*

LE PROFESSEUR. Non, Marina. Faites comme Daniel, votre bien-aimé : allez à l'Université et collez-vous aux tuyaux de la bibliothèque facultaire.

MARINA. Pourquoi irais-je me coller à des tuyaux alors que je vous ai le long de mon ventre ?

LE PROFESSEUR. Les tuyaux seront chauds plus longtemps.

MARINA. Les tuyaux n'iront pas en enfer, et moi j'ai besoin, besoin que vous alliez en enfer ! Je n'aurai vraiment chaud que si vous avez froid comme j'ai froid. Pour que vous sachiez ce que c'est ! J'ai besoin que vous soyez humilié de m'avoir méprisée.

LE PROFESSEUR. Je n'aurais jamais cru que vous étiez comme ça.

MARINA. Moi non plus.

LE PROFESSEUR. Quelle satisfaction obscure trouvez-vous à ce petit jeu, Marina ?

MARINA. Je ne sais pas, mais je me comprends. Et vous, Professeur, à quelle fascination obscure allez-vous succomber, quand vos bras se refermeront sur moi ?

LE PROFESSEUR *(la prenant dans ses bras, sans serrer fort).* Je ne sais pas, et je ne comprends pas.

MARINA. C'est normal : vous n'avez pas encore l'habitude de l'enfer.

Elle le regarde dans les yeux avec un sourire angélique. Elle irradie. Il la serre de plus en plus fort, puis leurs bouches se mesurent. Ils ont l'air terriblement amoureux l'un de l'autre, ce qui rend la scène encore plus horrible.

Même pièce. Dans la bibliothèque, au fond, il reste une petite dizaine de livres regroupés en une pile.

Assis chacun sur leur chaise, Daniel et le professeur lisent. Ils n'ont pas l'air frais. Les yeux du professeur se ferment lentement, sa tête verse sur le côté, le livre lui échappe des mains et tombe par terre, ce qui ne suffit pas à le réveiller.

DANIEL *(qui, au bruit, s'est retourné).* Professeur ! Ne dormez pas !

LE PROFESSEUR. Foutez-moi la paix. *(Il garde les yeux fermés.)*

DANIEL. Mais c'est vous qui m'avez ordonné de vous réveiller si vous vous endormiez !

LE PROFESSEUR. Et depuis quand obéissez-vous quand je vous donne des ordres ?

DANIEL. Depuis que je les trouve sensés.

LE PROFESSEUR. Ce n'étaient pas des ordres sensés, c'était du plagiat. Dans *Fahrenheit 451*, les gens apprennent les livres par cœur parce que le gouvernement va détruire tout ce qui est écrit. C'est beau, mais c'est insane : comment voulez-vous apprendre Kleinbettingen par cœur ?

DANIEL. Les aèdes récitaient l'*Iliade* et l'*Odyssée* sur le bout des doigts.

LE PROFESSEUR. Oui. Ces gens-là ne devaient pas consacrer les trois quarts de leur temps à écrire des thèses. Ils avaient le loisir d'apprendre des livres entiers par cœur.

DANIEL. Professeur, je ne dis pas que c'est facile. Et nous ne les saurons pas par cœur, c'est certain. Mais je vous rappelle ce que, vous-même, vous affirmiez hier : quand des livres n'en ont plus que pour quelques jours de vie, il faut en jouir jusqu'au bout.

LE PROFESSEUR. De là à lire toute la nuit, sans interruption !

DANIEL. C'était votre consigne.

LE PROFESSEUR. Comment pouvez-vous accorder du crédit aux paroles d'un bonhomme qui démolit Blatek devant ses étudiants et qui s'en régale quand il est seul ?

DANIEL. Il n'y a pas de quoi avoir honte. C'est une attitude tellement ordinaire.

LE PROFESSEUR. Précisément ! Ne pensez-vous pas que l'on était en droit d'attendre mieux de ma part ?

DANIEL. Non.

LE PROFESSEUR. Ah bon ! Comme ça, au moins, tout est clair.

DANIEL. Professeur, je vous assure que vous pourriez trouver meilleur emploi pour votre orgueil.

LE PROFESSEUR. Comme ?

DANIEL. Comme lire et relire le Kleinbettingen que vous avez en main aussi longtemps que nous ne l'aurons pas brûlé.

LE PROFESSEUR. Pffff. Vous me donnez une furieuse envie de le brûler tout de suite.

DANIEL. Professeur ! Ce bouquin s'appelle *L'Honneur de l'horreur* ! Vous lui avez consacré un article il y a huit ans ! Vous rappelez-vous ce que vous aviez écrit dans cet article ? Moi, je m'en souviens !

LE PROFESSEUR *(agacé)*. Je sais, j'ai écrit : « Après avoir lu *L'Honneur de l'horreur*, plus aucun être humain ne pourra jamais faire fi de sa dignité. »

DANIEL. Eh bien, ne croyez-vous pas que le moment est venu de mettre ces belles paroles en pratique ?

LE PROFESSEUR. Non, je crois que le moment est venu de rire de ces belles paroles. Et de brûler Kleinbettingen. Je vais vous dire : *L'Honneur de l'horreur* a été écrit par quelqu'un qui n'avait pas faim, et mon article d'il y a huit ans sur *L'Honneur de l'horreur* a été écrit par quelqu'un qui n'avait pas froid. Alors au feu !

DANIEL. C'est injuste, Professeur, et vous le savez bien. Avec un argument pareil, vous pouvez mettre le feu à toute votre bibliothèque.

LE PROFESSEUR. Mais c'est ce que nous sommes en train de faire, mon cher Daniel ! Vous n'avez pas remarqué ?

DANIEL. On dirait que ça vous rend heureux.

LE PROFESSEUR. Heureux, non. Hilare, oui. Brûler ces bouquins que j'ai décortiqués pendant dix ans puis encensés pendant vingt ans, ça me fait rigoler ! L'évêque Remi baptisait Clovis en disant : « Brûle ce que tu as adoré, adore ce que tu as brûlé. » Cette phrase m'a toujours fasciné. Elle est devenue mon emploi du temps.

DANIEL. Si au moins vous aviez l'air d'adorer ce que vous avez brûlé ! Mais vous semblez n'en avoir aucun regret, et même y prendre plaisir.

LE PROFESSEUR *(qui se lève et s'étire, parle en bâillant)*. Ça se voit tant que ça ?

DANIEL. Il serait difficile de ne pas s'en rendre compte.

LE PROFESSEUR *(qui exécute un pas de danse ridicule en tournant sur un pied comme une ballerine, le livre brandi au-dessus de sa tête, et éclate de rire)*. Ce qui est délicieux chez moi, c'est que je ne peux rien cacher. Je suis d'une fraîcheur !

DANIEL *(dégoûté)*. En fait, votre attitude, depuis le début de cet hiver, est le contraire de tout ce que je vous ai entendu dire depuis douze ans.

LE PROFESSEUR. Vous me connaissez depuis douze ans ?

DANIEL. Eh oui. J'avais dix-huit ans quand je vous ai découvert. Vos paroles me semblaient contenir la somme de l'intelligence humaine. Quand je vous écoutais, j'avais envie de crier de joie, j'étais fier d'être humain !

LE PROFESSEUR *(qui exécute un entrechat, toujours le livre en l'air)*. Et maintenant, il en a honte ! *(Il rigole.)*

DANIEL. Pas vous ?

LE PROFESSEUR *(haussant les épaules)*. Si. Mais ça m'est égal d'avoir honte. Je suis comme

Marina : à part avoir chaud, plus rien ne m'importe. « Peu me chaut », comme on disait en ancien français.

DANIEL. Marina n'est pas comme ça.

LE PROFESSEUR. Que savez-vous de Marina, Daniel ?

DANIEL. Une chose est certaine, c'est que je la connais mieux que vous ne la connaissez.

LE PROFESSEUR *(avec un drôle de sourire)*. Ah !

DANIEL. La grande différence entre elle et vous, c'est qu'elle souffre d'être un animal. Vous, cela vous est égal.

LE PROFESSEUR. La pauvre enfant ! Elle souffre !

DANIEL *(qui se lève comme un fou furieux, lâche son livre et attrape le professeur par les revers de sa veste)*. Oui, elle souffre ! Si vous éprouvez du plaisir à vous salir, je m'en fous. Mais n'essayez pas de la salir, elle !

LE PROFESSEUR. Comme il est romanesque ! C'est merveilleux.

DANIEL *(qui lâche le professeur et va voir les livres dans la bibliothèque)*. A propos de romans... il en reste huit ici, plus les deux que nous lisions. Il nous reste dix livres, Professeur.

Nous pouvons presque répondre à la fameuse question : « Quel est LE livre que vous garderiez ? »

LE PROFESSEUR *(qui se rassied)*. Quels sont ces dix livres ?

DANIEL. Alors... il nous reste en magasin *Le Mythe du sultan,* d'Obernach, *La Poupée parle* et *Soies crissantes* d'Esperandio, *En finir* de Fostoli, la tétralogie de Faterniss — comme par hasard...

LE PROFESSEUR. Quoi, comme par hasard ?

DANIEL. Oui, comme par hasard, c'est le seul auteur dont nous n'ayons rien brûlé, et, comme par hasard, c'est aussi celui auquel vous avez consacré votre thèse de doctorat.

LE PROFESSEUR. C'est ce qu'on appelle le privilège de l'âge, mon petit.

DANIEL. Oui. Entre-temps, j'ai relu le premier livre de cette tétralogie, *Le Liquide,* et quand je pense que nous avons brûlé *Stupéfactions* de Salbonatus hier soir, je suis révolté : franchement, *Le Liquide* n'arrive pas à la cheville de *Stupéfactions* !

LE PROFESSEUR. Je ne suis pas de cet avis. Et je vous rappelle que le chef, c'est moi.

DANIEL. Ouais.

LE PROFESSEUR. Cela dit, brûler un livre appelé *Le Liquide*, je reconnais que ça ne manquerait pas de sel ! Vous le brûlerez ce soir, mon petit Daniel. Vous voyez, je suis un chef très gentil.

DANIEL. Ah non, alors ! *Le Liquide* n'est pas un roman très fameux, mais vous savez très bien que ce n'est pas le plus mauvais de ceux qui nous restent.

LE PROFESSEUR. Ça ne va pas recommencer, Daniel !

DANIEL. Eh bien si, ça recommence. Et ça recommencera chaque jour, aussi longtemps que nous n'aurons pas foutu le feu à cette nullité.

LE PROFESSEUR. *Le Bal de l'observatoire* n'est pas une nullité. Et je vous rappelle que le chef, c'est moi.

DANIEL. Quel argument noble !

LE PROFESSEUR. Ce n'est pas un argument. C'est la raison du plus fort.

DANIEL. Justement : en dehors de l'Université, il y a tout lieu de penser que je suis plus fort que vous.

LE PROFESSEUR. Mais on n'est jamais en dehors de l'Université : c'est une religion.

DANIEL. Même quand le Temple est détruit ?

LE PROFESSEUR. Vous exagérez : la bibliothèque facultaire, qui est souterraine, tient toujours. Vous pourrez aller relire vos livres favoris en vous vautrant contre les tuyaux.

DANIEL. Eh bien ! Brûlons *Le Bal de l'observatoire* ! Et vous aussi vous irez le relire à la faculté.

LE PROFESSEUR. C'est impossible. Je ne peux pas lire ce livre-là en public, après le mal que j'en ai dit.

DANIEL. Ah ! Et devant moi, ça ne vous gêne pas ?

LE PROFESSEUR. Non. Je pars du principe que tout assistant considère son maître comme un imbécile. Alors, devant vous, je ne vois pas ce que j'ai à perdre.

DANIEL. Vous me stupéfiez ! Il m'avait toujours semblé que c'était le contraire : que tout professeur considérait son assistant comme un imbécile.

LE PROFESSEUR. Mais c'est aussi la vérité. Le tiers exclu n'est pas valable en psychologie, comme vous le savez. Et c'est l'un des charmes des relations entre professeur et assistant que ce mépris réciproque déguisé en respect admiratif.

DANIEL. Quand même, expliquez-moi comment un intellectuel aussi cynique et désabusé que vous peut vouer un culte au *Bal de l'observatoire*.

LE PROFESSEUR. Parce que, avant d'être cynique et désabusé, je suis un intellectuel, c'est-à-dire un être qui attend passionnément qu'on le contredise. Alors, si un écrivain aussi intelligent que Blatek essaie de me convaincre que l'amour juvénile n'est pas une niaiserie surfaite, eh bien, ça me met en joie, voilà !

DANIEL. Bon ! En ce cas, pourquoi vous acharnez-vous à répéter à vos étudiants que ce roman est petit-bourgeois à pleurer ?

LE PROFESSEUR. Parce que c'est vrai aussi. Mais quand c'est la guerre, quand on crève de faim et de froid, quand on voit les gens mourir comme des mouches autour de soi, on commence à se dire qu'être petit-bourgeois, ce n'est pas si mal.

DANIEL. Vous entendre proférer une pareille abomination ! Oui, vraiment, nous avons perdu la guerre !

LE PROFESSEUR. Allons, pas de délire de pureté, voulez-vous ? Après tout, ce qui était petit-bourgeois, c'était ma lecture du *Bal de l'observatoire* : le roman lui-même ne l'est pas. C'est une magnifique histoire d'amour entre deux adolescents.

DANIEL. Vous me faites bien rigoler ! Je vous vois déjà devant les étudiants, dire : « Je m'étais trompé : ce livre n'est pas bourgeois. C'est une magnifique histoire d'amour entre deux adolescents. » Mais ça, aucun risque que ça se produise, n'est-ce pas ? Vous tenez trop à votre dignité pour avouer une chose pareille.

LE PROFESSEUR. J'ai raison : un professeur a tant de mal à avoir un peu de crédibilité aux yeux de ses étudiants. Une pareille confession me la ferait perdre.

DANIEL. Oui. Et puis c'est si confortable de continuer à salir la réputation d'un livre. Aucun risque que le bouquin se venge : c'est ça qui est bien avec la littérature. On peut tout se permettre. Vous me dégoûtez, Professeur !

LE PROFESSEUR. Vous n'avez qu'à l'apporter vous-même, ce démenti, si votre sacro-sainte conscience vous l'ordonne ! C'est vrai : qu'est-ce qui vous empêche d'aller dire aux étudiants que vous n'êtes pas d'accord avec moi, que vous trouvez ce roman fabuleux ?

DANIEL. Ce qui m'en empêche ? La vérité, tout simplement. Moi, je n'aime pas ce livre. Je n'ai pas eu besoin de votre avis pour ne pas l'aimer.

LE PROFESSEUR. Et que reprochez-vous au *Bal de l'observatoire* ?

DANIEL. C'est d'une niaiserie !

LE PROFESSEUR. Qu'est-ce qui est niais dans ce bouquin ?

DANIEL *(se rassied avec un soupir excédé)*. Tout.

LE PROFESSEUR. Non, c'est trop facile, ça. Des détails, je vous prie. Donnez-moi des détails qui soient critiquables.

DANIEL *(haussant les épaules)*. Je ne sais pas, moi. Leur première rencontre, au concours d'improvisation.

LE PROFESSEUR. Qu'est-ce que vous avez à lui reprocher, à cette première rencontre ? Elle n'est pas plus naïve que votre première rencontre avec Marina, figurez-vous.

DANIEL. Mais quel procès me faites-vous, Professeur ? Nous ne sommes pas en train de parler de la réalité. Que notre vie n'ait pas de valeur artistique, c'est très possible. Raison de plus pour que la littérature en ait une.

LE PROFESSEUR. Ça vous arrange bien, n'est-ce pas ? Votre vie peut être médiocre, puisque la littérature compensera.

DANIEL. Ma vie est certainement moins médiocre que la vôtre.

LE PROFESSEUR. Qu'en savez-vous ? Vous êtes aveugle, Daniel, tant quand il s'agit de juger ma vie que quand il s'agit de juger cette première rencontre. Le jeune homme et la jeune fille se retrouvent sur le ring — il faut préciser que le concours d'improvisation a lieu dans une salle de boxe. N'oubliez pas qu'ils ne se sont jamais vus. Ils se découvrent. Ils ont seize ans, ils sont beaux et ils se découvrent sur un ring de boxe. N'est-ce pas magnifique ?

DANIEL *(avec un sourire)*. Vous êtes touchant, Professeur.

LE PROFESSEUR. Si vous n'étiez pas hypocrite, vous diriez comme moi.

DANIEL. Je vous rappelle que le plus hypocrite de nous deux, c'est vous.

LE PROFESSEUR. Au moins ne suis-je pas hypocrite envers moi-même. C'est le plus important. Allez, soyez sincère, pour une fois ! L'idée est superbe ! Le sujet qu'on leur impose est la lutte de Jacob avec l'ange. Mais, comme ni Larissa ni Jaromil n'ont de culture chrétienne, ils ne savent pas ce que c'est. Aussi doivent-ils doublement improviser. Avouez que c'est bouleversant !

DANIEL. L'âge vous rend lyrique, Professeur. *(Il rit.)*

LE PROFESSEUR. Riez, riez, vous ne savez pas de quoi votre ironie vous prive. Si vous aviez une once de simplicité, vous reconnaîtriez que cette scène vous fait rêver, que vous auriez tout donné pour être Larissa ou Jaromil le jour de leur première rencontre.

DANIEL. Mais enfin, peu importe ! La littérature, ce n'est pas ça ! On ne lit pas *Le Quatuor d'Alexandrie* parce qu'on a envie d'être Justine ou Darley ! On lit pour découvrir une vision du monde. Et avouez que celle de Blatek est indigente !

LE PROFESSEUR. Et c'est vous qui me trouvez touchant, mon petit Daniel ? Aucune niaiserie n'arrive à la cheville de la niaiserie universitaire. Espèce de grand dadais, n'avez-vous pas remarqué que c'est la guerre ? Depuis des millénaires, les plus beaux esprits ont écrit les plus nobles visions du monde dans les livres les plus admirables. Avez-vous l'impression que leurs idées ont servi à quelque chose ?

DANIEL *(les yeux au ciel)*. Là n'est pas la question.

LE PROFESSEUR *(se levant brusquement)*. Où est-elle alors ? A quoi sert-il d'exposer une vision du monde si le monde s'en fout ?

DANIEL. Eh bien, c'est à nous d'éduquer les lecteurs afin que la lecture ne soit plus inutile !

LE PROFESSEUR. Éduquer un lecteur ! Comme si on éduquait un lecteur ! Vous n'êtes plus assez jeune pour proférer de pareilles bêtises. Les gens sont les mêmes dans la lecture que dans la vie : égoïstes, avides de plaisir et inéducables. Il n'appartient pas à l'écrivain de se lamenter sur la médiocrité de ses lecteurs mais de les prendre tels qu'ils sont. S'il s'imagine qu'il va pouvoir les changer — s'il peut encore, malgré la guerre, s'imaginer une chose pareille —, eh bien, c'est lui qui est un romantique imbécile, et non celui qui aime lire Blatek.

DANIEL. Quand vous auriez raison, vos torts n'en seraient que plus grands, puisque vous avez passé vingt années à enseigner le contraire.

LE PROFESSEUR. Mais il n'y a eu que les petits premiers de la classe comme vous pour me croire, Daniel. Les autres auront eu la sagesse naturelle de prendre le contre-pied de ce que je leur disais. Et je suis sûr qu'aujourd'hui ceux qui sont encore vivants se délectent à lire *Le Bal de l'observatoire*, précisément parce que j'en avais dit du mal au cours.

DANIEL. Je n'ai jamais vu blanchir sa conscience avec autant de sérénité.

LE PROFESSEUR. Je sais qu'il est très élégant d'avoir mauvaise conscience, aujourd'hui, mais sincèrement, quand je vois ce qui se passe autour de nous, je trouve que mes vicissitudes sont bien peu de chose.

DANIEL. On dirait que vous le regrettez.

LE PROFESSEUR. Peut-être. Se rendre compte que sa vie n'aura servi à rien, pas même à nuire ! *(Il marche jusqu'à la bibliothèque et prend un livre. Il revient s'asseoir et le montre à Daniel.)* Vous voyez ? J'ai encore envie de relire Blatek. Il n'y a aucun argument qui tienne face au désir, c'est ce que vous devriez comprendre.

DANIEL. Je vous assure que je n'ai aucun désir de relire *Le Bal de l'observatoire.*

LE PROFESSEUR. Est-ce possible ? Mais de quelle chair êtes-vous fait ? Si la première rencontre vous laisse de glace, vous ne pouvez être indifférent à la scène du bal lui-même !

DANIEL. En effet, je n'y suis pas indifférent puisque je la trouve du dernier mauvais goût.

LE PROFESSEUR. Du dernier mauvais goût ? *(Yeux écarquillés d'incrédulité.)* Vous déraisonnez !

DANIEL. Ecoutez, ce quinquagénaire qui séduit cette jeune fille, c'est à la fois tellement convenu et tellement dégoûtant.

LE PROFESSEUR. Mais pas du tout ! C'est vieux comme le monde !

DANIEL. Raison de plus pour que ce soit convenu et dégoûtant !

LE PROFESSEUR. Pourquoi jouez-vous toujours les moralisateurs ? C'est l'esthétique de cette scène qui devrait vous émouvoir.

DANIEL. Un quinquagénaire qui enlace une fille de seize ans, je ne trouve pas ça esthétique, moi.

LE PROFESSEUR. Mais enfin, qu'est-ce que vous avez contre les quinquagénaires ?

DANIEL. A votre avis ?

LE PROFESSEUR. Bon. Qu'est-ce que vous avez contre moi ? *(Il croise les bras.)*

DANIEL. Vous m'avez appris il y a quelques minutes que tout professeur considérait son assistant comme un imbécile. J'en conclus que vous me considérez comme un imbécile. Peut-être ne devriez-vous cependant pas me croire béat au point de n'avoir pas compris ce qui s'était passé entre vous et Marina.

LE PROFESSEUR. Je ne vois pas à quoi vous faites allusion.

DANIEL *(exaspéré)*. Oh, ne niez pas ! Je vous ai vus, figurez-vous, un jour où j'étais rentré plus tôt. Je suis parti sans faire de bruit, ni elle ni vous ne vous êtes aperçus de rien.

LE PROFESSEUR. Et alors ? Vous avez l'intention de me tuer ?

DANIEL. Si ce n'était pas la guerre, je l'aurais peut-être fait. En ce moment, le procédé me paraît trop commun.

LE PROFESSEUR. Et quelle attitude allez-vous adopter, alors ?

DANIEL. Celle qui est la mienne depuis deux semaines : vous regarder avec dégoût.

LE PROFESSEUR. Et elle, elle ne vous dégoûte pas ? Je ne l'ai pas violée, si c'est ce que vous supposez.

DANIEL. Ce n'est pas sa chair à elle que je trouve dégoûtante.

LE PROFESSEUR. Ecoutez, on ne vous demande pas de me trouver à votre goût.

DANIEL. Il ne manquerait plus que ça !

LE PROFESSEUR. Mais elle est chez moi, quand même !

DANIEL. Quel argument admirable !

LE PROFESSEUR. Et puis merde ! C'est la guerre.

DANIEL. Alors ça, non ! C'est devenu votre tarte à la crème ! Quoi que l'on vous dise, vous rétorquez : « C'est la guerre. » On vous reproche de brûler des chefs-d'œuvre, vous répondez : « C'est la guerre. » On vous reproche d'encenser des romans de gare, vous répondez : « C'est la guerre. » On vous reproche de séduire la fiancée de votre assistant, vous répondez : « C'est la guerre. »

LE PROFESSEUR. Le fait est que c'est la guerre !

DANIEL. Et en quoi cela vous excuse-t-il ?

LE PROFESSEUR. Les lois ne sont plus les mêmes quand c'est la guerre, pour le cas où vous ne l'auriez pas remarqué.

DANIEL. C'est ça. Vous voudriez me faire croire qu'en temps de paix, vous étiez un enfant de chœur ?

LE PROFESSEUR. En temps de paix, j'avais mieux à séduire que vos tourterelles. Et maintenant, si vous n'êtes pas content, vous n'avez qu'à aller loger ailleurs, vous et votre... *(Marina entre.)*

MARINA. Votre quoi ?

LE PROFESSEUR. Votre allumeuse de bas étage.

DANIEL *(qui se lève d'un bond, attrape le professeur par les revers du manteau et le soulève de sa chaise)*. Vous ne vous trouvez pas assez répugnant comme ça ? Il faut en plus que vous l'insultiez ?

LE PROFESSEUR *(d'une voix étouffée).* Et vous, vous ne vous trouvez pas assez cocu comme ça ? Il faut en plus que vous la défendiez ?

Daniel s'apprête à lui donner un coup de poing. Marina lui prend le poignet pour arrêter son geste.

MARINA. Non ! Il y a assez de violence comme ça en ce moment ! Laisse-le dire.

DANIEL *(qui jette le professeur par terre comme un paquet de linge sale, puis regarde Marina).* Je ne sais pas si tu es si bien placée que ça pour me donner des leçons !

MARINA. Je n'ai pas de leçons à te donner. Je suis en tort, je ne cherche pas à me défendre. Mais je viens de voir trois personnes se faire massacrer dans la rue, et ça me suffit pour aujourd'hui. *(Elle s'assied, lasse. Entre-temps, le professeur s'est levé et assis sur l'autre chaise. Il n'y a plus de chaise pour Daniel. Il marche en rond autour d'eux.)*

DANIEL. Ne t'inquiète pas, ma chérie. Tu oublieras cette vision d'horreur dans les bras de cet homme vénérable qui pourrait largement être ton père.

MARINA. Ça ne me fait rien oublier du tout, si ça peut te consoler.

DANIEL. Pourquoi le fais-tu, alors ?

MARINA. Parce que ça me réchauffe. Uniquement pour ça.

DANIEL. Tu n'es pas gênée, de dire des choses pareilles !

MARINA. Arrête ! Je ne veux plus de sermons ! Je ne peux plus supporter quoi que ce soit qui ressemble à un discours moralisateur !

LE PROFESSEUR. C'est ce que je lui disais il y a cinq minutes à peine, Marina.

DANIEL. Mais rendez-vous compte ! Où suis-je tombé ? Entre un type qui se permet tout parce que c'est la guerre, et une fille qui se permet tout parce qu'elle a froid !

MARINA. Eh bien, il se trouve que c'est la guerre et il se trouve que j'ai froid.

LE PROFESSEUR. Ça aussi, je le lui ai dit, Marina. Il est en train de nous faire une crise de pureté.

DANIEL. Vous, taisez-vous ! Quand on a perdu le sens des valeurs au point de ne plus jurer que par *Le Bal de l'observatoire*, on n'a pas voix au chapitre. *(Il lui arrache le livre qu'il avait sur ses genoux. Marina se lève et arrache le livre des mains de Daniel stupéfait. Elle se rassied en serrant le roman sur son ventre.)*

MARINA. Moi, j'aime ce livre ! Je ne veux pas qu'on le brûle !

LE PROFESSEUR *(éclatant de rire)*. Ça, c'est la meilleure ! Vous voyez, Daniel, il n'y a pas que les vieux dégoûtants qui sont de mon avis.

DANIEL. Tu aimes ce livre ?

MARINA. C'est beau ! C'est si beau.

DANIEL. Mais qu'est-ce qui est beau là-dedans ?

MARINA. Surtout la dernière scène, celle du bal.

DANIEL. Ah oui ! Celle où le quinquagénaire séduit la jeune fille. Évidemment, ça doit te rappeler de beaux souvenirs.

MARINA. Oh non, ne crois pas ça. Avec le professeur, ce fut abominable.

LE PROFESSEUR. Merci !

MARINA. Mais dans le livre, ça se passe à l'observatoire, et c'est si beau.

DANIEL. Ah ! C'est l'observatoire que tu trouves beau ?

MARINA. Non, c'est tout, à commencer par l'écriture qui est si belle. C'est ce langage de séduction qu'ils se renvoient l'un à l'autre comme une balle en soie. On croirait Ève parlant au serpent. C'est subtil, c'est à la fois divin et diabolique, c'est beau comme une lutte entre l'ange et la bête...

DANIEL. Arrête ! Tu as lutté avec la bête, tu es mieux placée que personne pour savoir combien c'était laid — tu viens de le dire, d'ailleurs.

MARINA. Mais non, Daniel. Dans la réalité, je n'avais rien d'un ange, tu sais.

LE PROFESSEUR. Ça, je puis vous le garantir.

MARINA. Si tu pouvais savoir combien il a été hideux, ce moment-là avec le professeur, tu comprendrais combien j'ai besoin de la beauté de ce livre. J'ai tellement, tellement besoin qu'il existe encore quelque chose de beau sur terre !

DANIEL. Lamentable. Un livre n'est pas un bibelot que l'on contemple pour se consoler du monde, Marina.

MARINA. Ah non ? Et qu'est-ce d'autre ?

DANIEL. Un livre, c'est un détonateur qui sert à faire réagir les gens.

MARINA. Mais si c'était vrai, les gens auraient réagi. Et tu vois bien qu'ils ne réagissent pas.

LE PROFESSEUR. Je me tue à le lui répéter, Marina.

DANIEL. Vous, taisez-vous ! Une fois pour toutes, vous n'êtes un exemple pour personne et vous n'avez rien à enseigner à qui que ce soit.

LE PROFESSEUR. Bon, bon.

DANIEL. Tu dois comprendre, Marina, que si tu penses vraiment ce que tu dis, alors la guerre est perdue.

MARINA. Elle est perdue, Daniel ! Et cesse de tenir ce langage d'espoir et d'honneur : c'est trop cynique de parler comme ça quand la guerre est perdue !

DANIEL. Tu préférerais sans doute que je me déshonore comme tu le fais ?

MARINA. Toujours tes grands mots ! Je ne me déshonore pas. À ma place, tu en ferais autant. Tu n'en sais rien, parce qu'on ne te l'a pas proposé. C'est peut-être ce que tu regrettes, au fond : qu'on ne te l'ait pas proposé.

DANIEL. Mieux vaut entendre ça que d'être sourd !

MARINA. Je suis jeune et belle. Je sais très bien que si j'étais vieille et laide, je n'aurais aucun moyen de me réchauffer. Avoir un corps chaud contre moi est devenu l'une de mes conditions de survie. Alors, ne me dis pas que la guerre n'est pas perdue.

DANIEL *(l'arrachant à sa chaise)*. Ça te fait plaisir, n'est-ce pas, de dire des horreurs pareilles ?

MARINA. Oui ! C'est le dernier plaisir qui me reste !

DANIEL *(la jetant par terre)*. Ordure ! *(Il se rue sur elle. Ils roulent en se battant, comme des enfants, de tous leurs membres, avec parfois un petit cri étouffé de Marina. Pendant ce temps, le professeur s'est levé et a allumé le poêle.)*

MARINA. Lâche ! Tu sais bien que tu es le plus fort !

DANIEL. J'aimerais en être sûr ! *(Le combat se poursuit. Il est de plus en plus ambigu. On a parfois l'impression qu'ils font l'amour.)*

MARINA. Et dire que j'ai pu être amoureuse de toi !

DANIEL. Et dire que j'ai pu être ému par tes airs angéliques ! *(Le combat se poursuit.)*

Pendant ce temps, le professeur a apporté les dix livres près du poêle. Il en a ouvert la porte et y a jeté, un à un, neuf volumes. Il en a gardé un qu'il tient à la main. Il est à genoux près du poêle.

LE PROFESSEUR *(d'une voix douce et paternelle)*. Mes enfants, je suis sûr que vous vous réchauffez beaucoup en vous livrant à ce charmant petit corps à corps, mais je trouve quand même regrettable que vous manquiez la chaleur de cette belle flambée littéraire.

Le combat cesse brusquement. Les lutteurs sont sur pied.

DANIEL. Il a brûlé tous les livres ! *(Il semble anéanti.)*

LE PROFESSEUR. Pas tous : il en reste un — je vous laisse deviner lequel.

MARINA *(qui court vers le poêle et tombe à genoux près du professeur). Le Bal de l'observatoire !*

LE PROFESSEUR. Bien vu, mon enfant. J'attendais votre avis pour savoir quel sort lui réserver.

MARINA. Oh, ne le brûlez pas, je vous en prie !

LE PROFESSEUR. Je ne sais pas. C'est un beau livre mais que peut-il pour nous, Marina ?

MARINA. Il est la seule beauté qui nous reste ! Il est ce qui peut nous faire oublier la guerre.

DANIEL *(tombant assis par terre, dégoûté)*. Il me semble que l'incendie de la bibliothèque d'Alexandrie devait être un spectacle de bon goût, comparé à celui-ci.

LE PROFESSEUR. Il ne nous fera pas oublier longtemps la guerre.

MARINA. Peu importe, Professeur, nous n'en avons plus pour longtemps non plus ! Mais que ce livre dure jusqu'à notre mort !

LE PROFESSEUR. Je n'aime pas vous voir si idéaliste, tout à coup. Vous vous vautrez avec moi comme une bête et, dès qu'il est question de ce roman, vous parlez avec le feu sacré, comme une sainte. Vous allez me le faire prendre en grippe, ce bouquin !

MARINA. Ne soyez pas jaloux d'un livre, allons !

LE PROFESSEUR. Bon. Alors, dites que vous êtes une bête.

MARINA. Je suis une bête !

LE PROFESSEUR. Dites que vous n'avez plus rien d'humain.

MARINA. Je n'ai plus rien d'humain !

LE PROFESSEUR *(mettant le livre à l'entrée du poêle)*. En ce cas, ça vous est égal que je le détruise, ce livre ?

MARINA. Non, s'il vous plaît, ça ne m'est pas égal ! *(Elle se redresse pour arrêter son geste.)*

LE PROFESSEUR. Alors vous avez menti. Vous n'êtes pas encore tout à fait un animal. Il vous reste une seule chose humaine, et c'est ce livre. Et pour vous punir d'avoir menti, voici le sort que je réserve à votre dernière parcelle d'humanité. *(Il le jette au feu.)*

MARINA. Non ! *(Terrassée d'horreur, elle regarde, près de l'entrée du poêle, les flammes qui dévorent le livre. Elle reste figée quelques instants. Puis elle regarde le professeur avec autant de haine que possible.)* Je ne veux plus vous voir ! *(Elle se lève et s'enfuit dans les coulisses.)*

LE PROFESSEUR *(haussant la voix, débonnaire)*. Mais non, ne partez pas ! Profitez au moins de cette belle flambée ! Mon Dieu, qu'elle est sotte, cette petite !

DANIEL. Allez, je suis soulagé : elle est quand même moins monstrueuse que vous.

LE PROFESSEUR *(avec un sourire guilleret)*. À l'impossible nul n'est tenu.

DANIEL. Je me demande ce qu'elle est allée faire, dehors.

LE PROFESSEUR. Comment, vous ne le savez pas ?

DANIEL. Vous le savez, vous ?

LE PROFESSEUR. Mais oui. Elle m'a toujours dit que le jour où il n'y aurait plus de livres, elle irait se promener au milieu de la grand-place. Il paraît que c'est le nouveau suicide à la mode.

DANIEL. Quoi ? *(Il se lance dans les coulisses à sa poursuite.)*

LE PROFESSEUR *(qui rigole, bien au chaud près du poêle)*. Et voici comment profiter tout seul d'une bonne flambée ! *(Soupir de bien-être.)* Ils commençaient à devenir agaçants, ces deux petits jeunes. *(Il ferme la porte du poêle.)* Après, j'aurai encore une chaise à brûler *(il parle lentement, comme s'il économisait ses paroles autant que le combustible)*, puis l'autre, et enfin, quand il n'y aura vraiment plus rien, plus aucun combustible *(il lève les yeux avec un sourire béat)*, j'irai retrouver leurs deux cadavres sur la grand-place et je me promènerai, moi aussi, le temps qu'il faudra.

Du même auteur
aux Éditions Albin Michel :

HYGIENE DE L'ASSASSIN, 1992.

LE SABOTAGE AMOUREUX, 1993.

LES CATILINAIRES, 1995.

Le Livre de Poche Biblio

Extrait du catalogue

Sherwood ANDERSON
Pauvre Blanc

Guillaume APOLLINAIRE
L'Hérésiarque et Cie

Miguel Angel ASTURIAS
Le Pape vert

Djuna BARNES
La Passion

Andrei BIELY
La Colombe d'argent

Adolfo BIOY CASARES
Journal de la guerre au cochon

Karen BLIXEN
Sept contes gothiques

Mikhail BOULGAKOV
La Garde blanche
Le Maître et Marguerite
J'ai tué
Les Œufs fatidiques
Récits d'un jeune médecin

Ivan BOUNINE
Les Allées sombres

André BRETON
Anthologie de l'humour noir
Arcane 17

Erskine CALDWELL
Les Braves Gens du Tennessee

Italo CALVINO
Le Vicomte pourfendu

Elias CANETTI
Histoire d'une jeunesse (1905-1921) - *La langue sauvée*
Histoire d'une vie (1921-1931) - *Le flambeau dans l'oreille*
Histoire d'une vie (1931-1937) - *Jeux de regard*
Les Voix de Marrakech

Raymond CARVER
Les Vitamines du bonheur
Parlez-moi d'amour
Tais-toi, je t'en prie

Camillo José CELA
Le Joli Crime du carabinier

Blaise CENDRARS
Rhum

Varlam CHALAMOV
La Nuit
Quai de l'enfer

Jacques CHARDONNE
Les Destinées sentimentales
L'Amour c'est beaucoup plus que l'amour

Jerome CHARYN
Frog

Bruce CHATWIN
Le Chant des pistes

Hugo CLAUS
Honte

Carlo COCCIOLI
Le Ciel et la Terre
Le Caillou blanc
La Ville et le Sang

Jean COCTEAU
La Difficulté d'être
Clair-obscur

Cyril CONNOLLY
Le Tombeau de Palinure
Ce qu'il faut faire pour ne plus être écrivain
100 Livres clés de la littérature moderne

Joseph CONRAD
Sextuor

Joseph CONRAD
et Ford MADOX FORD
L'Aventure

René CREVEL
La Mort difficile
Mon corps et moi

Alfred DÖBLIN
Le Tigre bleu
L'Empoisonnement

Lawrence DURRELL
Cefalù
Vénus et la mer
L'Ile de Prospero
Citrons acides
La Papesse Jeanne

Friedrich DÜRRENMATT
La Panne
La Visite de la vieille dame
La Mission
Grec cherche Grecque
La Promesse

Shûsaku ENDÔ
Douleurs exquises

Carson McCULLERS
Le cœur est un chasseur solitaire
Reflets dans un œil d'or
La Ballade du café triste
L'Horloge sans aiguilles
Frankie Addams
Le Cœur hypothéqué

Naguib MAHFOUZ
Impasse des deux palais
Le Palais du désir
Le Jardin du passé

Klaus MANN
La Danse pieuse

Thomas MANN
Le Docteur Faustus
Les Buddenbrook
Les Confessions du chevalier d'industrie Félix Krull
Déception

Katherine MANSFIELD
La Journée de Mr. Reginald Peacock

Somerset MAUGHAM
Mrs Craddock

Henry MILLER
Un diable au paradis
Le Colosse de Maroussi
Max et les phagocytes

Paul MORAND
La Route des Indes
Bains de mer
East India and Company

Vladimir NABOKOV
Ada ou l'ardeur

Anaïs NIN
Journal 1 - *1931-1934*
Journal 2 - *1934-1939*
Journal 3 - *1939-1944*
Journal 4 - *1944-1947*

Joyce Carol OATES
Le Pays des merveilles
Amours profanes

Edna O'BRIEN
Un cœur fanatique
Une rose dans le cœur
Les Victimes de la paix

PA KIN
Famille

Mervyn PEAKE
Titus d'Enfer

Leo PERUTZ
La Neige de saint Pierre
La Troisième Balle
La Nuit sous le pont de pierre
Turlupin
Le Maître du jugement dernier
Où roules-tu, petite pomme ?
Le Marquis de Bolibar

Luigi PIRANDELLO
La Dernière Séquence
Feu Mathias Pascal

Ezra POUND
Les Cantos

Augusto ROA BASTOS
Moi, le Suprême

Joseph ROTH
Le Poids de la grâce

Raymond ROUSSEL
Impressions d'Afrique

Salman RUSHDIE
Les Enfants de minuit

Arthur SCHNITZLER
Vienne au crépuscule
Une jeunesse viennoise
Le Lieutenant Gustel
Thérèse
Les Dernières Cartes
Mademoiselle Else

Leonardo SCIASCIA
Œil de chèvre
La Sorcière et le Capitaine
Monsieur le Député
Petites Chroniques
Le Chevalier et la Mort
Portes ouvertes

Isaac Bashevis SINGER
Shosha
Le Domaine

André SINIAVSKI
Bonne nuit !

Muriel SPARK
Le Banquet
Les Belles Années de Mademoiselle Brodie
Une serre sur l'East River

George STEINER
Le Transport de A. H.

Andrzej SZCZYPIORSKI
La Jolie Madame Seidenman

Milos TSERNIANSKI
Migrations

Maria TSVÉTAEVA
Le Diable et autres récits

Tarjei VESAAS
Le Germe

Alexandre VIALATTE
La Dame du Job
La Maison du joueur de flûte

Ernst WEISS
L'Aristocrate

Franz WERFEL
Le Passé ressuscité
Une écriture bleu pâle

Thornton WILDER
Le Pont du roi Saint-Louis
Mr. North

Virginia WOOLF
Orlando
Les Vagues
Mrs. Dalloway
La Promenade au phare
La Chambre de Jacob
Entre les actes
Flush
Instants de vie

Composition réalisée par JOUVE

IMPRIMÉ EN FRANCE PAR BRODARD ET TAUPIN
La Flèche (Sarthe).
N° d'imprimeur : 3751 – Dépôt légal Édit. 5965-09/2000
LIBRAIRIE GÉNÉRALE FRANÇAISE - 43, quai de Grenelle - 75015 Paris.

ISBN : 2 - 253 - 13946 - 7 31/3946/6